afgeschreven

DODELIJKE AFDALING

Van Michael Crichton zijn verschenen:

De Andromeda crisis
Congo
De Terminal Man
Jurassic Park
De verloren wereld (The Lost World)
Onthulling (Disclosure)
Rising Sun
Sfeer (Sphere)
Airframe
The 13th Warrior
Tijdlijn
Prooi
Staat van Angst
Next
Piraten◆
Micro◆
Zero Cool◆
Dodelijke afdaling◆

◆ Ook als e-book verkrijgbaar

MICHAEL CRICHTON

SCHRIJVEND ALS JOHN LANGE

DODELIJKE AFDALING

UITGEVERIJ LUITINGH-SIJTHOFF

Uitgeverij Luitingh Sijthoff en Drukkerij Koninklijke Wöhrmann BV
vinden het belangrijk om op milieuvriendelijke en duurzame wijze
met natuurlijke bronnen om te gaan.

© 2014 Nederlandse vertaling
Uitgeverij Luitingh ~ Sijthoff B.V., Amsterdam
Alle rechten voorbehouden
Oorspronkelijke titel: *Grave Descend*
Vertaling: Jan Mellema
Omslagontwerp: Roald Triebels
Omslagbeeld: Winterfall LLC
Typografie: Wim ten Brinke

ISBN 978 90 245 6528 3
NUR 332

www.lsamsterdam.nl
www.boekenwereld.com
www.watleesjij.nu

*Wie verstandig is, verruilt een zekerheid niet
voor een onzekerheid*
— SAMUEL JOHNSON

DEEL 1

SNEL SCHIP

Van een Schot valt nog veel te maken, mits men hem jong vangt.
— SAMUEL JOHNSON

1

Hij was vlak na zonsopgang de bergen in gereden en had het uitgestrekte, vlakke Kingston achter zich gelaten. Hij was door piepkleine bergdorpjes gekomen, waarvan de hutten gevaarlijk dicht bij de weg stonden. Daarna was hij naar beneden gegaan, door weelderig begroeide dalen vol tropische planten, nog vochtig van de ochtendnevel, en uiteindelijk omhoog naar de kille bergtoppen van de noordkust.

Het was nu acht uur in de ochtend. Hij reed langs de berghelling naar beneden, over het stuur van zijn motor gebogen. Hij ging met een snelheid van honderdzestig kilometer per uur, het geluid van de motor in zijn oren, de wind in zijn haar. In de verte zag hij de blauwe zee, met golven die op de klippen sloegen, en de hotels aan de kust. Heel even had hij een panoramisch uitzicht, toen dook hij omlaag en begon hij aan het kronkelende laatste stuk naar Ocho Rios.

McGregor had een hekel aan Ocho Rios. Ooit was het een prachtig, paradijselijk kustgebied geweest, maar nu was het één grote opeenhoping van protserige hotels, sjofele nachtclubs, escortservices en disco's met steelbandmuziek, waar hordes toeristen rondliepen die op zoek waren naar oppervlakkig vertier, iets duurder dan Miami Beach, maar in wezen hetzelfde.

De Plantation Inn richtte zich op die doelgroep. Het hotel was een reusachtig complex op een acht hectare groot terrein vol luxe gebouwen in nepkoloniale stijl, restaurants en snackbars. Het was omgeven door een hoog hek, en bij de ingang stond een bewaker in een kakiuniform, een inlander met een glad gezicht, die alle toeristen die per limousine van het vliegveld werden aangevoerd hartelijk begroette.

McGregor viel een dergelijk warme ontvangst niet ten deel. De bewaker stak een hand op en bracht zijn andere hand naar het pistool dat hij in een holster op zijn heup droeg.

'Hebt u een afspraak?'

McGregor stopte en liet de motor draaien. 'Ik kom voor meneer Wayne.'

'Meneer Wie?'

'Wayne. W-A-Y-N-E.'

De bewaker liet zijn blik over een lijst op een clipboard gaan, vinkte een van de geregistreerde namen af en knikte. 'Doet u een beetje stil?' zei hij, terwijl hij aan de kant ging om McGregor door te laten. 'De gasten slapen nog.'

McGregor keek hem grijnzend aan, liet zijn motor flink ronken en scheurde het terrein op. Hij kwam langs zorgvuldig onderhouden tuinen, borders met kleurige bloemen en regelmatig bewaterde palmbomen. Uiteindelijk bereikte hij het hoofdgebouw, een hotel dat nog maar drie jaar oud was maar opgetrokken was in de stijl van een oude Jamaicaanse plantage.

Hij parkeerde de motor en ging het hotel binnen. De receptionist, die een rood jasje en een stropdas droeg, keek ontzet naar de vettige spijkerbroek en de vieze blauwe trui die McGregor aanhad. 'Kunnen we u ergens mee van dienst zijn, meneer?' vroeg hij, met een gezichtsuitdrukking die ongetwijfeld bedoeld was als lach, maar dichter bij een grimas kwam.

'Meneer Wayne.'

'Wordt u eh... verwacht?'

'Ja, ik word eh... verwacht,' zei McGregor.

Het gezicht van de man vertrok nog meer. 'Uw naam, alstublieft?'

'James McGregor.'

De receptionist pakte de telefoon, toetste een nummer in, sprak even op gedempte toon en hing op. Hij was duidelijk ontstemd en zei met enige tegenzin: 'Neemt u de rechterlift. Kamer vier-twee-drie.'

McGregor knikte zonder iets terug te zeggen.

Ondanks het vroege tijdstip was Arthur Wayne al aangekleed. Hij zat aan een tafeltje waarop zijn ontbijt was klaargezet. Wayne was een magere man van halverwege de vijftig, met een ernstig gezicht en grijze, kille ogen. Ondanks de vakantiesfeer die het hotel uitstraalde, droeg hij een driedelig streepjespak.

'Ga zitten, McGregor,' zei hij, terwijl hij zijn toast beboterde. 'Dat hebt u snel gedaan. Hebt u trek in een ontbijtje?'

'Alleen koffie,' zei McGregor. Hij stak een sigaret op en ging in een stoel bij het raam zitten. 'Hoe wist u waar u me kon bereiken?'

'Bedoelt u... bij uw vriendin?' Wayne keek hem glimlachend aan en schonk een kop koffie in. 'Daar hebben we onze methodes voor. Maar zo snel had ik u hier nog niet verwacht.'

'Halfnegen, had ik toch gezegd?'

'Ja, maar ik heb u om zes uur gebeld, en het is vier uur rijden van Kingston naar Ocho...'

'Zo lang doe ik er niet over.'

'Dat is duidelijk,' zei Wayne. 'Dat is duidelijk.' Hij nam een hap van zijn toast en keek McGregor aan, de blik van een zakenman, rustig, onderzoekend. 'U bent ouder dan ik had verwacht.'

'U ook.'

'Hoe oud bent u eigenlijk?' Hij legde zijn brood neer en viel aan op het roerei. 'Vertelt u eens wat meer over uzelf.'

'Er valt niet veel te vertellen,' zei McGregor. 'Ik ben duiker van beroep. Ik ben negenendertig. Ik woon al veertien jaar in Kingston. Daarvoor heb ik in New York en Miami gezeten en bergingswerk gedaan. Omdat dat slecht betaalde en ik er een hekel aan had, ben ik hiernaartoe gegaan.'

'En voor New York?'

'Toen zat ik in de Pacific. Ik zat bij de troepen die ervoor moesten zorgen dat de stranden vrij waren zodat de mariniers aan land konden.'

Wayne kauwde een hap roerei weg. 'Hoe was dat?'

'Als een boze droom.' McGregor nam een trek van zijn sigaret en keek uit het raam. Dit vond hij altijd het vervelendste deel van zijn werk: het oriënterende gesprek over wie je was. Dan was het zaak goed voor de dag te komen. Hij hoopte dat Wayne niet over zijn been zou beginnen.

'Ik heb gehoord dat u in de oorlog gewond bent geraakt,' zei Wayne.

'Ja. Ik ben toen bijna een been kwijtgeraakt. De doktoren zijn er drie jaar mee bezig geweest om het te behouden.'

'Bijzonder,' zei Wayne, nog steeds kauwend. 'Bijzonder. Nou, ik zal niet om de hete brij heen draaien, meneer McGregor. Men heeft hoog van u opge-geven. We zouden u graag inhuren.'

Er verscheen een flauw glimlachje op McGregors gezicht. 'Vooral omdat er verder niemand op het he-le eiland te vinden is die de klus kan klaren?'

'Het gaat ons er meer om,' zei Wayne, 'de juiste man voor deze klus te vinden.'

'Maar uw alternatief is om een team uit Florida of Nassau in te vliegen, en dat is duur. Heel duur zelfs, door al die zware apparatuur.'

'Bedoelt u te zeggen dat u uw tarief verhoogt?' vroeg Wayne.

'Ik zit eraan te denken.'

'Ik zal niet om de hete brij heen draaien,' zei Wayne nog eens. 'Dit is een belangrijke, vertrouwe-lijke klus. We zijn bereid u te betalen wat u maar vraagt, in alle redelijkheid.'

'Wat ik vraag, hangt van de klus af.'

'Ik zal u er wat over vertellen,' zei Wayne. Hij veeg-de zijn mond met een servet af, stond op en stak kuchend een sigaret op. Daarna pakte hij een grote aktetas en deed die open, haalde er kaarten, platte-gronden en maritieme blauwdrukken uit, die hij op de grond uitstalde.

Toen pakte hij een glanzende foto en gaf die aan McGregor. Er stond een schip op.

'Dit is waar het om gaat,' zei hij. 'De *Grave De-scend*, een jacht. Een waterlijn van honderddrieën-twintig voet, luxe ingericht, vijf hutten, elk met een eigen badkamer en...'

'Tonnage?' vroeg McGregor.

'Vierenveertig twintig, denk ik.'

'Dat denkt u?'

Wayne raadpleegde zijn papieren. 'Ja... vierenveertig twintig.'

'Waar is het schip gezonken?'

'Vijf mijl naar het oosten, driekwart mijl uit de kust, grof geschat. Volgens de laatste berekeningen moet dat ongeveer hier zijn...' Hij gaf McGregor een zeekaart. '... net achter de buitenste riffen. Hier zijn twee riffen, dichter bij de kust, ongeveer zes meter lang, en verderop een paar die...'

'Ik ken die riffen wel,' zei McGregor. 'Wanneer is het schip gezonken?'

'Gisteren.'

McGregor zweeg even. 'Gisteren?'

Wayne nam een trek van zijn sigaret en glimlachte. 'U vraagt zich misschien af waarom ik hier nu al ben. Meestal duurt het even voordat maritieme verzekeringsmaatschappijen iemand sturen – is dat niet wat u denkt?'

'Min of meer.'

'Ik denk dat u vanzelf zult begrijpen waarom dat zo is. De boot is verzekerd voor twee komma één miljoen dollar, dus het mag duidelijk zijn dat we ons zorgen maken, maar dat is slechts een deel van het probleem.'

McGregor fronste zijn wenkbrauwen. Hij had nog nooit meegemaakt dat iemand van een maritieme verzekeringsmaatschappij een schip een *boot* noemde. Bovendien was Wayne opmerkelijk slecht georganiseerd. Hij keek weer op de kaart. 'Hoe ligt het schip?'

'Dat weten we niet precies. We denken dat de boeg naar het noorden wijst, in de richting van de open zee, en dat de achtersteven hier ligt. Dat zou beteke-

nen dat de achtersteven op een diepte van zo'n vijfenzestig voet ligt, en de boeg op tachtig. De hellings-
hoek is daar namelijk nogal groot...'

'Averij?'

'Nee. Voor zover we weten, niet. We hopen dat het
schip nog intact is.'

'Maar dat weet u niet zeker.'

'Nee. Dat klopt.'

McGregor keek de man fronsend aan. 'Om wat
voor schip gaat het?'

'Het schip is eigendom van een Amerikaanse in-
dustrieel die zijn fortuin in de staalindustrie heeft ver-
gaard. Hij heeft het schip negen maanden geleden
van een Australiër overgenomen, en het heeft tot een
paar weken geleden in de Middellandse Zee gelegen.
Hij heeft het schip laten overbrengen naar Miami, of
eigenlijk naar West Palm, om precies te zijn, voor re-
paratie, en daarna is het schip hierheen gebracht.'

'Was de eigenaar zelf niet aan boord?'

'Nee. Hij woont in de buurt van Pittsburgh en wilde hiernaartoe vliegen om het schip van Ocho naar
Aruba te brengen.'

McGregor knikte. 'En u wilt van mij horen of het
schip geborgen kan worden?'

'Onder andere,' zei Wayne. 'Maar er speelt nog een
andere kwestie, die heel belangrijk is voor ons, vanuit het verzekeringsstandpunt bezien.'

'En dat is?'

'We willen weten waardoor het schip eigenlijk is
gezonken,' zei Wayne. Hij drukte zijn sigaret uit.

Er viel een korte stilte. McGregor wachtte op een na-
dere verklaring, en toen die uitbleef zei hij: 'Ik weet

niet of ik u helemaal kan volgen.'

'Dat weet ik zelf eigenlijk ook niet,' zei Wayne. 'Er is op dat schip iets vreemds gebeurd, weet u. Alle getuigen hebben verklaard dat zich in de machinekamer een explosie heeft voorgedaan. De boot werd aangedreven door twee Caterpillar-dieselmotoren van zeshonderd pk per stuk...'

'Dieselmotoren?'

'Ja. Hoezo?'

'Gaat u verder.'

'Twee keer zeshonderd pk. Het schip voer met een snelheid van veertien knopen, niets aan de hand. In West Palm waren de motoren nog nagekeken. Ze waren in prima conditie. Toch heeft zich een explosie voorgedaan. En de boot is heel snel gezonken. Een kwestie van minuten.'

'Zijn er gewonden gevallen?'

Als er doden of zwaargewonden waren gevallen, zou McGregor niet zijn ingeschakeld maar zou de Jamaicaanse regering zelf een onderzoek instellen, aangezien de boot in de territoriale wateren van Jamaica was gezonken.

'Nee,' zei Wayne. 'Dat is het merkwaardige. Er waren zes bemanningsleden aan boord, onder wie de schipper, kapitein Loomis. En ze hadden één passagier. Ze zijn met z'n allen veilig weggekomen en werden later door een vissersboot opgepikt.'

'Juist. Waar is kapitein Loomis nu?'

'Hier in de stad, in Hotel Reserve.'

McGregor knikte. Hij kende de Reserve wel, een goedkoop hotel in de heuvels, waar jachteigenaren hun bemanning traditiegetrouw onderbrachten.

'Ik zou graag een woordje met hem wisselen.'

'Natuurlijk. Ik zal vandaag meteen een afspraak…'

'Doe geen moeite,' zei McGregor. 'Dat regel ik zelf wel.'

Wayne haalde zijn schouders op. 'Zoals u wilt.'

'En de passagier? Wie was dat?'

'Een vrouw,' zei Wayne. 'Monica Grant. De kapitein heeft de zaken wat haar betreft zeer goed afgehandeld.'

'Wat bedoelt u daarmee?'

'Wat de publiciteit betreft, bedoel ik.' Wayne pakte de krant, de *Gleaner*. 'Niets over het jacht en de explosie. Echt helemaal niets. Kapitein Loomis heeft alles onder de pet gehouden, en dat is maar beter ook.'

McGregor zweeg.

'De eigenaar van de *Grave Descend* is namelijk goed bevriend met mejuffrouw Grant. En diens vrouw…'

'Oké,' zei McGregor. 'Ik snap het al.'

'Zo staan de zaken er dus voor,' zei Wayne. 'Het schip is gezonken en we weten niet hoe dat kwam. De eigenaar is er veel aan gelegen om de zaak stil te houden en wil liever niet dat mejuffrouw Grant erbij betrokken wordt.'

'Zoiets kan toch niet eeuwig buiten de pers worden gehouden?' vroeg McGregor.

'Nee. Nee, dat is onbegonnen werk. We willen het tijdstip van het incident graag verschuiven naar vanavond. Op die manier kunnen we er namelijk voor zorgen dat mejuffrouw Grant het eiland tijdig verlaat, om haar uit handen van de journalisten en fotografen te houden. Het is per slot van rekening een geweldig verhaal – een luxe jacht dat op bizarre wijze gezonken is, met een mysterieuze mooie meid aan boord. Daar zouden zelfs de kranten in Pittsburgh over schrijven.'

'Dus mejuffrouw Grant is echt een heel mooie vrouw?'

Wayne haalde zijn schouders op en liep naar het balkon. 'Kijk zelf maar.' Hij wees naar het zwembad. 'Die blonde op de ligstoel, met dat tijdschrift.'

McGregor keek omlaag en zag een jonge vrouw in een kleine bikini die bij de rand van het zwembad lag te lezen.

'Niet onaardig,' knikte hij.

'Ze heeft zich in dit hotel ingeschreven,' zei Wayne. 'Als bekend wordt gemaakt dat het jacht is vergaan, zal ze al vierentwintig uur als gast geregistreerd staan. Niemand zal haar ermee in verband brengen.'

McGregor keek bedenkelijk. 'U lijkt alle moeite te doen om de eigenaar van dit schip een hand boven het hoofd te houden. Dat ligt strikt genomen toch niet binnen uw taakomschrijving?'

'Misschien niet,' zei Wayne. 'Maar dit zijn uitzonderlijke omstandigheden.'

'Hoezo?'

'De eigenaar is Robert Wayne,' zei hij. 'Mijn broer.'

McGregor liet dat even op zich inwerken. Hij wist niet precies wat hij ermee kon, maar dat was van later zorg. Eerst waren er andere zaken die afgehandeld moesten worden.

'Wat de betaling betreft…'

Wayne zei kordaat: 'We zijn bereid u honderd dollar per dag te geven.'

'Plus onkosten,' zei McGregor.

'Goed. Plus onkosten.'

'Ik heb een behoorlijke boot nodig, zeg tien meter lang. Compressor, tanks, apparatuur – dat heb ik allemaal zelf, maar dat kost omgerekend ook honderd dollar.'

Wayne knikte. 'Goed.'

'En zelf reken ik tweehonderd per dag,' zei Mc-Gregor.

Wayne zweeg even. 'Ik had begrepen,' zei hij, 'dat uw tarief meestal niet zo hoog...'

'Meestal niet, nee,' zei McGregor. Hij tikte op de zeekaart waarop de positie van de *Grave Descend* stond aangegeven. 'Maar dit is harpoengebied.'

'Pardon?'

McGregor schonk de man een flauw lachje. 'Harpoengebied. Dat betekent dat je daar nooit zonder harpoen met extra sterke patronen naartoe kunt. Vooral niet naar de buitenste riffen.'

'Ik ben bang dat ik niet helemaal begrijp waarom...'

'Omdat die kuststrook het verst in de Atlantische Oceaan uitsteekt en het minst beschermd is. Het stikt daar van de hamerhaaien.'

Wayne keek hem niet-begrijpend aan.

'Dat zijn de ergste,' zei McGregor.

'Juist.'

'Tweehonderd per dag,' zei McGregor.

Wayne knikte. 'Tweehonderd dan.'

'Ik zal het bootje regelen en de schipper betalen. Ik zal mijn apparatuur hier... morgenochtend naartoe brengen.'

'Uitstekend.'

'Dan kunnen we morgen beginnen.'

'Goed. U zult een voorschot nodig hebben om dingen te kunnen kopen,' zei Wayne. Snel schreef hij een cheque voor duizend dollar uit, wapperde ermee om de inkt te laten drogen, en gaf hem aan McGregor. 'Is dat voldoende?'

'Ik denk het wel.'

'En ik wilde voorstellen om later op de dag naar de plek toe te gaan waar de boot is gezonken. Op het vliegveld van Ocho kunnen we gemakkelijk een vliegtuig charteren. Misschien vanmiddag om twee uur?'

McGregor schudde zijn hoofd. 'Dan staat de zon te hoog,' zei hij. 'Rond dat tijdstip zie je geen schaduwen. Halfvier of vier uur is beter.'

'Goed. Zal ik de boel regelen?'

'Ja.'

'Zien we elkaar dan op het vliegveld?' vroeg Wayne.

'Goed,' zei McGregor. Met de cheque in de hand verliet hij de hotelkamer, liep de hal door, wisselde een blik vol wantrouwen met de receptionist, en ging naar het zwembad om een praatje met Monica Grant te gaan maken.

2

Ook van dichtbij was ze erg mooi, waarbij hij zijn oordeel baseerde op wat hij van haar kon zien, wat praktisch alles was. Ze droeg een piepkleine bikini, haar lijf vertoonde prachtige rondingen, ze had een mooi bruin kleurtje, en leek erg ontspannen.

'Juffrouw Grant?'

Ze liet haar tijdschrift zakken en legde het op haar buik. Toen ze zag hoe hij gekleed was, keek ze hem fronsend aan. 'Ja?'

'Ik ben Jim McGregor.' Haar fronsende blik verdween niet. 'De duiker,' verduidelijkte hij.

'Ah. Hoe maakt u het?' Ze gaf hem een hand, en de fronsende blik maakte plaats voor een glimlach. Een beminnelijke glimlach. Hij zag dat ze groene ogen had.

'Gaat u het schip bergen?'

Hij ging naast haar op het beton zitten en stak een sigaret op. 'Nou, dat weet ik niet. Daar zal ik binnenkort meer over kunnen zeggen.'

'Ik hoop dat het lukt,' zei ze. 'Het is zo'n mooi schip. Het mooiste schip dat ik ooit heb gezien.'

McGregor zei: 'Als u een paar minuutjes hebt, zou ik het er graag even met u over hebben.'

Weer een glimlach. 'Maar natuurlijk.'

'Waar bent u aan boord gegaan?'

'In West Palm. Nadat het schip gerepareerd was, ben ik er vanuit New York naartoe gevlogen. Ik wilde wat zon pakken voordat Robert kwam. Hij zou ons hier komen ophalen, weet u. We zouden een prachtige cruise naar Aruba maken. Robert had het er zelfs over dat we door konden naar Venezuela.'

'Venezuela?'

'Ja. Maar ik weet niet of hij dat serieus meende. Robert heeft wel vaker van die wilde plannen.'

'Juist. Dus u bent in West Palm aan boord gegaan. Wanneer was dat?'

'Twee weken geleden,' zei ze. Toen hij haar vragend aankeek, zei ze: 'Ik ben danseres. Tot voor kort werkte ik nog in de Copa. Maar daar ben ik mee gestopt toen Robert met deze bootreis aan kwam zetten...'

McGregor knikte. Ze had het figuur van een danseres. 'Twee weken geleden, dus 2 november?'

'Inderdaad, 2 november.'

'En wie waren er nog meer aan boord?'

'Kapitein Loomis en de bemanning. Zes man in totaal. Ik maakte me daar eerst wat zorgen om, maar ze waren allemaal heel aardig voor me.'

'Waar bent u vanaf Palm Beach naartoe gegaan?'

'Naar Bimini. Kapitein Loomis zei dat hij eerst nog een proefvaart wilde maken. Kennelijk had hij niet veel vertrouwen in de boot. Daarom zijn we naar Bimini gegaan, en daar zijn we een nachtje gebleven, om het schip te bevoorraden.'

'Bevoorraden?' McGregor dacht dat ze misschien drinkwater bedoelde, want de reis van West Palm naar Bimini was zo kort dat ze onmogelijk door een andere voorraad heen konden zijn. Een slimme kapitein zou wachten tot hij in Nassau of Freeport was.

'Ja. Wat meubilair en zo, voor de hutten.'

'Meubilair?'

'Ja. Toen dat was gebeurd, zijn we naar Nassau gegaan.'

'Die reis verliep voorspoedig?'

'Inderdaad. We hadden een bewolkte dag, meer niet.'

'Geen mechanische pech?'

'We hebben nooit mechanische pech gehad,' zei ze, 'tot aan het eind.'

'En vanuit Nassau...'

'Toen zijn we rechtstreeks naar Jamaica gegaan. Zonder tussenstop. Het was heerlijk weer, zalig gewoon. Drie dagen geleden zijn we in Jamaica aangekomen.'

'Waar bent u door de douane gegaan?'

'De douane?'

'Ja. Bij de eerste haven zult u door de douane moeten zijn gegaan.'

'Bedoelt u waar een kleine meneer in uniform vroeg of we vuurwapens en zo bij ons hadden?'

'Precies.'

'In Ocho,' zei ze. 'Hier dus.'

'Dit was uw eerste stop?'

'Ja,' zei ze.

McGregor knikte. 'Gaat u verder.'

'Nou, toen zijn we... naar het oosten gegaan, denk ik. Ja, naar het oosten. Vanuit Ocho langs de kust. We zouden voor de kust parkeren, vlak bij de plek waar Robert een huis heeft. Dat huis staat namelijk een eind verderop aan de kust, ziet u. Daar zouden we naartoe en op hem wachten tot hij daar met het vliegtuig naartoe kwam. Kapitein Loomis heeft ons daar gistermiddag naartoe gebracht, en toen heeft hij het schip geparkeerd...'

'Afgemeerd,' zei McGregor.

Ze schonk hem een oogverblindende glimlach. 'Ik

weet eigenlijk niks van boten. We zijn dus afgemeerd. Ik wilde liever dichter naar de kust toe, maar kapitein Loomis zei dat er riffen waren en dat we niet dichterbij konden komen. Daarom zijn we daar voor anker gegaan. De rest van de middag heb ik in de zon liggen bakken. En plotseling lag ik in het water en zonk het schip. Van het ene op het andere moment!' Ze knipte met haar vingers.

'Was er een explosie?'

'Dat weet ik eigenlijk niet,' zei ze. 'Ik heb geprobeerd het me te herinneren, maar het gebeurde allemaal zo snel... Volgens mij was er inderdaad een explosie, of in elk geval lawaai, en toen lag ik ineens in het water. Kapitein Loomis wilde ons zo gauw mogelijk bij het schip weg hebben, omdat hij zei dat je naar een schip dat zinkt wordt toegezogen, en dat vond ik heel beangstigend. Echt heel eng. Ik zou nog banger zijn geweest als ik echt had geweten wat er aan de hand was, maar ik was alleen maar overdonderd.'

'Was er niemand gewond geraakt door die explosie?'

'Nee. Dat was geluk hebben. Kapitein Loomis zat er erg over in. Toen we door die vissersboot werden opgepikt, heeft hij ze flink wat geld gegeven – honderd dollar de man – om ervoor te zorgen dat ze hun mond zouden houden. Ik snapte er op dat moment helemaal niets van. Pas later begreep ik dat Robert hem bepaalde instructies had gegeven. Robert zit namelijk erg in over zijn vrouw, weet u. Ze heeft al hun geld, en hij is bang dat ze van hem wil scheiden.'

'Dus jullie zijn toen door die vissers aan boord genomen,' zei McGregor. 'Hoe laat was dat?'

'Dat weet ik niet. Een uur of zes. Het werd al donker. Ze hebben ons aan land gezet, en we zijn toen naar Roberts huis gegaan. Daar lagen schone kleren – zelfs een jurk voor mij – en koffers en zo, en kapitein Loomis heeft ons toen allemaal in hotels ondergebracht. En hij heeft de broer van Robert gebeld, de verzekeringsman, die gisteravond vanuit Chicago hiernaartoe is gevlogen. Hij is heel aardig. Hebt u hem al ontmoet?'

'Ja,' zei McGregor. Hij fronste zijn wenkbrauwen.

'Is er iets?' vroeg Monica.

'Nee,' zei hij. 'Niets.'

Terwijl hij naar zijn motor liep, stak hij een sigaret op en probeerde alles op een rij te zetten. *Is er iets?* Jezus, en óf er iets was. In gedachten ging hij de knelpunten langs.

Wayne. Als die man echt voor een verzekeringsmaatschappij werkte, was hij of heel onervaren, of heel dom.

De zeekaarten. De positie van het schip was met een kruisje aangegeven. Normaal werd de positie van een gezonken schip aangegeven met een grote cirkel, die een gebied van een kwart mijl in diameter aangaf. Nooit een kruis, nooit zo exact.

Het verhaal. Monica Grant was weliswaar een buitengewoon aantrekkelijke vrouw, en het was weliswaar logisch om het nieuws uit de kranten van Pittsburgh te willen houden, maar hoe kon je in hemelsnaam voorkomen dat de Jamaicaanse pers er lucht van kreeg? Zeker: Jamaica was een groot eiland – tweehonderdveertig bij tachtig kilometer, met Kingston als de grootste Engelstalige haven ten zuiden van Miami – maar in bepaalde opzichten was het klein. Nieuws verspreidde zich altijd als een lopend vuurtje over het eiland. De *Gleaner* was een klein, excentriek maar zichzelf respecterend dagblad, dat de naam had al het wetenswaardige nieuws te brengen dat met Jamaica te maken had. Hoe had Loomis het nieuws buiten de pers weten te houden?

Hoe kon je hier het vergaan van een luxe jacht geheimhouden, ook al was het maar voor vierentwintig uur?

Dat leek ondoenlijk. Maar aan de andere kant had McGregor in de veertien jaar die hij op Jamaica had doorgebracht heel wat bergingswerk verricht, en hij had al zoveel verhalen rond scheepswrakken gehoord dat hij wist dat alles mogelijk was. Vooral op het vlak van stupide gedrag. Boten vergingen doordat mensen die nog nooit gevaren hadden achter het roer stonden, of doordat ze de motor in z'n achteruit zetten als ze vooruit moesten. Mensen keken niet op de kaart ('Zeekaarten? Die getekende plattegronden, bedoelt u?'), ze zopen zich een stuk in de kraag en vielen achter het roer in slaap, lieten de schepen aan hun lot over terwijl ze in de hut met meiden lagen te rotzooien...

Elk verhaal was weer anders, en ze kwamen hem stuk voor stuk onwaarschijnlijk voor. Maar het verhaal rondom de *Grave Descend* was wel héél anders. Dat verhaal was niet alleen onwaarschijnlijk, maar ook raar. Alleen de naam van het schip al. Hij had er Wayne naar willen vragen.

Maakt niet uit, dacht hij. Hij zou het aan de kapitein vragen. Loomis.

3

Ocho Rios stelde niet veel voor. Een kruising, een paar tankstations, hier en daar een café en een souvenirshop, en dan had je het wel gehad. De stad stak tamelijk overzichtelijk in elkaar: er liep een weg langs de kust, die op een gegeven moment landinwaarts de heuvels in liep. Aan de zeekant van de weg waren de hotels te vinden, het geld, de glamour en glitter, de toeristen. Aan de andere kant waren de huizen van de plaatselijke bevolking, de hutten en schuren en naakte kinderen.

En Hotel Reserve.

Hotel Reserve was gevestigd in een houten gebouw van twee verdiepingen; de roze verf bladderde al jaren af. Het hotel straalde een zekere vergane glorie uit, maar McGregor wist dat alles in het hotel om geld draaide. De bovenverdieping werd verhuurd aan bemanningen van jachten, en de kamers op de begane grond waren gereserveerd voor de mannelijke escorts, die in de bars in het centrum vrouwen oppikten en met hen naar het hotel gingen voor een kortstondige kennismaking met het plaatselijke ritmegevoel.

Hij parkeerde zijn motor en ging naar binnen. Hij kreeg te horen dat hij naar boven moest, naar de kamer van Loomis. Toen hij op de deur klopte, bromde een mannenstem: 'Wie is daar, verdomme?'

McGregor zei niets en wachtte af. Na een poosje klopte hij nog een keer. Op een gegeven moment ging de deur een heel klein stukje open.

'Ja?'

'Ik ben McGregor. Ik wil graag even met u praten over de *Grave Descend*.'

'Wat is daarmee?'

'Ik ben de duiker.'

'O.'

Fronsend deed Loomis de deur iets meer open. Hij was een forsgebouwde kerel, droeg een onderhemd en een korte broek en rook naar rum. McGregor bemerkte een muffe geur toen hij binnenkwam.

Het was een eenvoudig ingerichte kamer, met alleen het meest elementaire meubilair: een bureau met een gebarsten spiegel, een wastafel en een oud bed, met daarop een vermoeid ogende, zwarte jonge vrouw.

Loomis draaide zich naar haar om. 'Opgedonderd, liefie,' zei hij. 'Tijd om te vertrekken.'

De jonge vrouw begon zich aan te kleden. Loomis sloeg verder geen acht op haar en liep naar een tafeltje waarop een fles rum en twee vuile glazen stonden. Hij schonk een borrel in, sloeg die in één beweging achterover en huiverde.

'Iegh,' zei hij, terwijl hij uit het stoffige raam keek, naar de kinderen die op straat speelden. 'Klote om zo wakker te worden. Hoe zei je dat je heette?'

'McGregor.'

'Aangenaam, McGregor,' zei Loomis. Hij stak een klamme hand uit. Ze schudden elkaar de hand. 'Wil je ook een slok?'

'Nee, bedankt,' zei McGregor.

'Verdomme, man. Zou je goed doen.' Hij schonk twee glazen in en reikte McGregor er een van aan. 'Proost.'

De vrouw had een glanzende groene jurk aange-trokken, die strak om haar lijf spande. Bij de deur draaide ze zich om.

'Ik spreek je later nog wel, liefie,' zei Loomis. 'Nu opgedonderd.'

Ze ging weg. Loomis zuchtte en ging op het bed zit-ten. 'Jezus,' zei hij. 'Wat voel ik me beroerd. Heb je met Wayne gepraat?'

'Ja.'

'Leuke vent. Hij zei niet alles wat hij had kunnen zeggen. Heel praktisch ingesteld. Het is namelijk een gigantische puinzooi. Echt een gigantische puinzooi. Maar dat had Wayne voor me verzwegen.'

Hij nam een flinke slok van zijn rum.

'Ik kan je wel vertellen,' zei hij terwijl hij zijn stop-pelige kin krabde, 'dat er iets is waar ik me zorgen over maak. Figuren als Wayne doen wel heel aardig en beleefd, maar ze kunnen je lelijk in de tang nemen. Weet je wat ik bedoel? Ik denk dat ze me nu nog no-dig hebben. Ze hebben me echt nodig. Dus dan doen ze lief en aardig. Maar als ze me niet meer nodig heb-ben...' Hij haalde zijn schouders op, dronk zijn glas leeg en schonk zich nog een borrel in. 'Drink eens door,' zei hij.

McGregor nipte van zijn rum. Het was sterk, stro-perig spul, het goedkoopste van het goedkoopste.

'Ik zal je wel vertellen dat ik in de rats zit,' zei Loomis. 'Ik heb het verkloot. Ik ben bang.'

'Waarom?'

'Nou, de eigenaar, Robert Wayne, belt me in West Palm op. Internationaal gesprek. En het enige wat hij weet te melden, is dat er niets mis mag gaan, en voor-al niet wat die vrouw betreft. Nou ken ik die vent een beetje, en ik weet in wat voor positie hij verkeert. Hij mag dan zogenaamd iets hoogs zijn in de staalbranche, maar dat slaat werkelijk nergens op. Wat verdient zo'n man nou helemaal? Misschien zestig of zeventig mille. Dat is natuurlijk prima, maar met dat geld kun je je geen groot jacht veroorloven, of vrouwen zoals Monica. Daar heb je minstens twee ton voor nodig. Dus waar haalt hij dat geld vandaan? Van zijn vrouw, denk ik. Zijn vrouw heeft de centen, en hij is als de dood dat ze erachter zal komen dat hij met die danseresjes zit te rommelen, dus daarom belt hij me, helemaal vanuit Amerika, om ervoor te zorgen dat niemand iets te weten komt.'

Loomis zuchtte eens diep en schudde zijn hoofd.

'Dus ik verzeker hem dat er niks zal gebeuren, rustig maar. Dat zeg ik, en hij zegt oké, prima, en hij hangt op. De volgende dag komt die meid. Heb je haar gezien?'

'Ja.'

'Dan snap je wel waarom die ouwe bok niet wil dat die geldschieter van een vrouw erachter komt. Als de kranten een foto opduikelen van haar in bikini, kan hij het wel schudden, man. Finito. Zeg maar dag met je handje tegen die twee ton.'

McGregor knikte.

'Maar goed, die meid komt dus opdagen, en we varen uit. Ik wilde...'

McGregor zei: 'Bent u met het schip de Atlantische Oceaan overgevaren, helemaal naar West Palm?'

'Nee, nee. Dat trans-Atlantische gedoe is het echte werk, daar hebben ze een speciale crew voor. Van oorsprong was het een Australische boot, zie je. Voer onder Australische vlag. Gebouwd in Japan in 1961, toen verkocht aan een of andere vent in Sydney. Vorig jaar heeft Wayne het schip gekocht, en die heeft het laten overbrengen naar de Middellandse Zee, Monte Carlo of iets dergelijks. Gebruikte het alleen voor pleziertjes en zo. Gaf het schip een andere naam.'

'Een ongebruikelijke naam.'

'Een lugubere naam, als je het mij vraagt. De *Grave Descend*. Wat een idiote naam voor een schip. Maar weet je wat het is? Dat is precies wat al die nieuwe gasten doen met schepen. Die geven ze allemaal van die rare namen. In Miami zie je enorme jachten liggen, met namen als *Wet Dream* en *Sea Pussy*. Dat is dan grappig bedoeld.'

'Hebt u in West Palm het bevel overgenomen?'

'Ja. Ik was daar en had weinig omhanden, knapte hier en daar een bootje op, en ineens krijg ik het aanbod om als kapitein op een schip te varen voor een of andere vent in Pittsburgh. Hij wil dat ik zelf mijn bemanning regel en hem in Aruba of misschien Venezuela oppik. Dus ik zeg: wat kan mij het schelen, vooruit maar. De prijs was ook niet mis, mag ik je wel vertellen. Ontzettend goeie prijs.'

'U had dat schip nooit eerder gezien?'

'Nee. Kwam uit Napels. Dat was de laatste haven voordat hij hiernaartoe kwam. Het interieur was verbouwd, mooi goudkleurig sanitair, en een joekel van een beeld in de grote hut. Moderne kunst, helemaal van chroom. Toen het schip hier was, heb ik het bevel overgenomen.'

'En er zijn wat reparaties verricht?'

'Nou, nee, geen reparaties. We hebben het schip alleen gecontroleerd. Het was in Napels nog grondig nagekeken. Keurig gedaan, moet ik zeggen. We hebben alles gewoon gecheckt.'

'Wanneer bent u uitgevaren?'

'De tweede van deze maand. We moesten hier namelijk de achttiende zijn, en ik wilde me niet te veel hoeven haasten, voor het geval er iets tegenzat. We gingen naar Bimini, eigenlijk bij wijze van proefvaart, om te voelen hoe alles liep, om de bemanning in te werken...'

'De bemanning was ook nieuw?'

'Ja. Jongens uit Miami. Daar kun je altijd een bemanning opscharrelen. Meestal voormalige strandwachten die te oud zijn om als escort te werken.'

'Juist.'

'Dus we zijn naar Bimini gegaan, hebben daar wat ballast aan boord genomen...'

'Ballast?'

'Ja. Grappig was dat het schip iets naar bakboord helde, niet veel, maar toch een beetje. Daarom hebben we de boot stabiel gemaakt en zijn verder gegaan.'

'Waarom helde het schip naar één kant?'

Loomis haalde zijn schouders op. 'Gewoon het karakter van de boot, als je het mij vraagt. Ze zijn allemaal net iets anders.'

'En vanuit Bimini?'

'Nassau. Voorraden, eten, water. Kon de bemanning even de benen strekken. We liepen goed op schema en zijn toen rechtstreeks naar Mo Bay gegaan.'

'Montego?'

'Precies. We zijn daar door de douane gegaan, geen problemen...'

'Bent u in Montego Bay door de douane gegaan?' vroeg McGregor.

'Ja. Hoezo?'

McGregor zei: 'Nee, niets.'

'Het lag voor de hand. Eerste haven, en ze zijn daar beter bemand dan in Ocho. Want ik heb er altijd een hekel aan als ik bij de douane moet wachten, weet je. Zit je daar de hele tijd te wachten tot er zo'n aap in uniform aankomt.'

'Hoe lang was u in Montego Bay?'

'Ongeveer zes uur. Daarna zijn we naar het oosten gevaren, naar Ocho, waar we twee dagen geleden aankwamen. Gisteren zijn we verder oostwaarts gegaan, naar Silverstone. Dat ligt ongeveer vijftien mijl ten oosten van Ocho. Het steekt uit in zee, misschien ken je het wel. Het huis dat daar staat, heet ook Silverstone en is van meneer Wayne. We moesten daar voor anker gaan om op hem te wachten. Hij zou daar dan aan het eind van de week naartoe vliegen.'

'En?'

Loomis schonk zich nog wat rum in. 'Jezus, dat weet ik niet. Ik zweer het je, ik weet het niet. Dat schip liep als een tierelier. De bemanning keek goed uit. Niemand was benedendeks aan het roken. Sterker nog: de man die ik in de machinekamer had gezet, rookte überhaupt niet. Maar toch is het op de een of andere manier misgegaan.'

Loomis dronk zijn glas leeg en schonk zichzelf een nog grotere borrel in.

'Ik stond voor op het schip, op de brug zelfs, toen het gebeurde. Ik voelde het schip trillen – een wilde beweging – en ik hoorde het geluid. Het klonk niet heel hard, meer als onweer, maar waarschijnlijk is toen de hele achtersteven weggeslagen, of misschien de onderkant, want het schip begon onmiddellijk te zinken. De mensen die aan dek waren, zoals juffrouw Grant – die voorop lag te zonnen – werden overboord geslingerd. De rest wilde reddingsboeien naar ze toe gooien, maar toen merkten we hoe snel het schip zonk. Echt heel snel. Maar vredig, dat wel. Als een rots die langzaam onder water verdwijnt.'

'Wat hebt u toen gedaan?'

'Tja, luister eens, ik ben geen held. Ik ben meteen van boord gegaan. Bovendien zonk het schip zo snel dat ik bang was dat de anderen meegezogen zouden worden, want die hadden geen idee dat je altijd direct bij een zinkend schip weg moet zien te komen. Het is me gelukt om iedereen in veiligheid te brengen, en toen ging het schip ten onder. Eerst de achtersteven, maar de rest volgde spoedig.'

'En toen?'

'Toen zijn we richting de kust gegaan, zo goed en zo kwaad als dat ging. Vissers zagen ons en hebben ons opgepikt. Ik heb die jongens flink wat geld gegeven. Maar toen dacht ik eens na over wat er gebeurd was, en wat het allemaal te betekenen had. Toen dacht ik: laat ik eens slim wezen. Ik heb iedereen naar Silverstone gebracht, om ze schone kleren te geven. Daarna hebben we de auto genomen die bij het huis stond en zijn we de stad in gereden. Ik heb die dame in een hotel gestopt en de bemanning hier ondergebracht. En toen heb ik Arthur Wayne gebeld.'

'Waarom hem?'

'Instructies van de eigenaar. Toen ik Robert Wayne aan de lijn had, zei hij: gaat er iets mis, moet je mij niet bellen maar mijn broer Arthur in Chicago.

Dat heb ik toen gedaan.'

'En die heeft meteen het vliegtuig gepakt?'

'Dat kun je wel stellen,' zei Loomis. 'Hij kwam hier gisteravond met een privévliegtuig aan. En hij wist meteen wat er gedaan moest worden.'

'Met dat wrak?'

'Met die vrouw. Hij wist dat we er op een gegeven moment niet onderuit zouden komen om de boel aan de autoriteiten te melden, dus hij besloot dat we dat beter vandaag konden doen.'

'Juist.'

'Ik roep de bemanning bijeen, samen gaan we rond vijven naar die plek, zwemmen vervolgens aan land en roepen de politie. Slim bedacht, hè?'

'Maar er is vast wel iemand die dat schip gisteren in de golven heeft zien verdwijnen.'

'Dat waag ik te betwijfelen. Het is namelijk een nogal afgelegen plek. De enigen die er iets van weten, zijn de bemanning en ik, die jonge vrouw, de twee vissers, de dienstbode van Silverstone, en het hotelpersoneel hier. Die hebben allemaal geld gekregen. Een royaal bedrag, mag ik wel zeggen.'

'Keurig.'

'Zeg dat wel. Maar wat me dwarszit: wat gaat er gebeuren als dit allemaal achter de rug is?'

'Hoe bedoelt u?'

'Ik bedoel: wat gebeurt er met mij?' zei Loomis. 'Door mij zitten ze nu in de nesten, en worden ze op kosten gejaagd. Wat gaan ze met mij doen?'

'Ik weet het niet,' zei McGregor.

'Ik ook niet,' zei Loomis, 'en daar maak ik me ontzettend veel zorgen over.'

4

De Cockatoo was een bar in het westen van de stad, een kroeg waar 's avonds steelbands speelden en de stamgasten liedjes zongen over de *big bamboo* terwijl de vrouwelijke toeristen aan hun jurkjes plukten, rum-punch dronken en wachtten tot ze door een *stud* werden opgepikt. Overdag was het er donker, koel en rustig.

McGregor trof er Sylvie aan. Ze stond aan de bar met een paar jongens van de band te praten, gekleed in een stretchbroek en een strakke bloes; de jongens waren buitengewoon geïnteresseerd in haar.

McGregor gaf haar een klap op haar achterste toen hij bij haar was. 'Dag, schat.'

Ze keek hem glimlachend aan en gaf hem een zoen op zijn wang. De jongens keken jaloers toe.

Sylvie was een Française die oorspronkelijk van Martinique kwam. Ze was drie jaar geleden naar Kingston gekomen om te studeren, en daar was McGregor haar tegengekomen. Sylvie was een voormalige Miss Martinique en kleedde zich altijd fantastisch. Vooral strakke kleren stonden haar goed.

'Ik ben er net,' zei ze. 'Hoe lang ben jij hier al?'

'Sinds halfnegen.'

Ze klakte met haar tong. 'Je rijdt te snel. Waar gaat het over?'

Hij vertelde haar over de *Grave Descend*. Sylvie trok haar neus op en veegde haar lange zwarte haar uit haar gezicht. 'Wat een afschuwelijke naam.'

'Het is ook een afschuwelijk verhaal. Iedereen houdt de maîtresse een hand boven het hoofd.'

'En ze willen dat jij het schip gaat bergen?'

'Dat weet ik nog niet,' zei McGregor. 'Het verhaal klopt namelijk niet helemaal.'

'Hoezo niet?'

'Wayne geeft handenvol geld uit om de autoriteiten te doen geloven dat het schip pas vandaag is gezonken, niet gisteren.'

'Nou en?'

'Waarom moest hij dat zo omstandig aan mij uitleggen? Hij had mij toch net als alle anderen in de waan kunnen laten?'

'Misschien wil hij weten of je bereid bent er morgen meteen op af te gaan,' zei Sylvie.

'Zou kunnen,' zei McGregor. 'We vliegen later op de dag naar de plek des onheils...'

Hij zweeg.

'Is er iets?'

'Nee,' zei hij. 'Ik vraag me alleen af waarom Wayne niet wilde dat ik meteen vandaag al zou beginnen.'

'Waar heb je het over?'

'Dat weet ik zelf ook niet zo goed,' zei McGregor. 'Kom mee.'

Met de sportauto van Sylvie was het maar een kort stukje langs de kronkelende bergweg ten oosten van Ocho Rios, langs de hotels en uiteindelijk langs een ruige en betrekkelijk rustige kuststrook. Zoals altijd was McGregor onder de indruk van de schoonheid van de streek. Hij vroeg zich af hoe lang het nog zou duren voordat ook hier hotels zouden verrijzen.

'Waar gaan we naartoe?' vroeg Sylvie.

'Naar Silverstone,' zei McGregor.

'Waar is dat voor nodig? Daar ga je straks toch met een vliegtuig naartoe?'

'Weet ik.'

'Wat moet je dan nu...'

'Er speelt nog veel meer,' onderbrak McGregor haar. 'Zoals het feit dat Wayne een zeekaart had waarop de positie van het wrak stond aangegeven. Hij had die plek heel nauwkeurig gemarkeerd. Het is gebruikelijk om de plek met een cirkel aan te geven en te zeggen: "Hier moet het ergens zijn." Wayne was veel specifieker. Hij wist met zekerheid waar het schip vergaan was, in welke positie het op de bodem lag, en op welke diepte.'

Sylvie trok een fronsend gezicht. 'Denk je dat hij het in scène heeft gezet?'

'Dat weet ik niet.' McGregor dacht daar even over na, maar die optie leek niet logisch. Waarom zou Wayne zoiets in scène zetten?

'Er speelt nog meer. Neem bijvoorbeeld mejuffrouw Grant, die beweert dat het schip in Ocho door de douane is gegaan, terwijl de kapitein zei dat ze dat in Montego hebben gedaan.'

'Misschien vergiste ze zich.'

'Ik weet zeker dat ze zich vergiste,' zei McGregor. 'De vraag is: waarom?'

'Wat klopt er nog meer niet volgens jou?'

'De koers die ze gevaren hebben. Het schip lag oorspronkelijk in Monte Carlo, maar ze zijn naar Napels gegaan om het schip te bevoorraden, en daarna zijn ze de Atlantische Oceaan overgestoken.'

'Dus?'

'Vanuit Monte Carlo zou een schip eerder naar

Nice gaan om voorraden in te nemen. Hooguit misschien naar Genua. Maar helemaal naar Napels?'

McGregor scheurde een bocht door. Ze kwamen nu in de buurt van Silverstone; de weg werd smaller, was minder goed onderhouden en zat vol kuilen.

'En dan Bimini. Loomis zegt dat het schip naar één kant overhelde, zodat hij in Bimini ballast moest verschuiven. Merkwaardig dat een schip stabiel genoeg was om de oversteek naar Amerika te maken, maar niet stabiel genoeg om van West Palm naar Bimini te varen.'

'Misschien was er in West Palm ballast verschoven.'

'Of misschien was er iets van boord gegaan, of aan boord genomen.'

Ze kwamen bij Silverstone aan. Het was een hoge kaap die ver de zee in stak. Aan zee stond een wit huis, beschut door palmbomen. Aan weerszijden van de kaap lag een kleine baai met een leeg strand.

'Wat zie je?' zei McGregor.

'Niets,' zei Sylvie.

McGregor glimlachte. 'Geen vissers in zo'n authentiek bootje dat heel toevallig groot genoeg is voor zeven extra passagiers?'

'Wat een wantrouwen,' zei Sylvie. 'Dat is nergens voor nodig.'

Vanuit hun positie hadden ze uitzicht op de dichtstbijzijnde baai; de andere lag achter de kaap.

McGregor reed verder en stopte op een gegeven moment.

'Nee,' zei hij, turend over de zee. 'Dat wantrouwen is wel degelijk gerechtvaardigd.'

Daar, duidelijk zichtbaar in de volle zon, driekwart mijl uit de kust, voer het luxe jacht de *Grave Descend*.

5

'Hoe kan dat nou?' zei Sylvie.
'Zeg dat wel.'

Hij haalde een verrekijker uit het dashboardkastje, leunde met zijn ellebogen op het portier en tuurde naar het deinende vaartuig, dat met de boeg richting open zee wees. Duidelijk zichtbaar op de achterkant was de naam van het schip in zwarte letters te zien. Hier kon geen misverstand over bestaan.

Hij tuurde door de verrekijker naar het dek. 'Niemand te zien.'

'Er moet toch iemand aan boord zijn?' zei Sylvie.

Hij keek naar de brug; er moest altijd iemand op de brug staan. McGregor keek nog eens goed. Het schip dobberde rustig op de golven, de ramen schitterden in de zon waardoor het moeilijk was naar binnen te kijken, maar na een tijdje wist hij het zeker.

'Niemand aan boord.'

'Dat kan niet,' zei Sylvie.

McGregor was al uitgestapt en keek achterom naar het huis. Hoewel Silverstone door palmbomen aan het zicht werd onttrokken, kreeg hij een indruk van de omvang van het huis aan de zee: een reusachtig landgoed. Vanuit het huis was een trap in de rotsen uitgehouwen, die langs de kaap naar het strand liep.

Maar ook lag er kennelijk een zwembad bij het huis, want McGregor zag een dikke, bleke man die van een duikplank dook en met een grote plons in het water terechtkwam. Het zwembad zelf ging schuil achter struikgewas.

Hij hield zijn verrekijker op het huis gericht, in de hoop de bleke man beter te kunnen zien. Robert Wayne zou hier pas aan het eind van de week naartoe vliegen. Wie kon het zijn? Niet Arthur Wayne, want die was niet dik.

En zeker geen bediende.

Wie dan wel?

Hij haalde zijn schouders op. Waarschijnlijk was het een vriend, of een gast. Eigenlijk kon het bijna iedereen zijn. Als Robert Wayne zich een gigantisch groot jacht kon permitteren, kon hij het zich ook veroorloven vrienden te laten logeren. Wel een stuk of vijftig.

Hij draaide zich weer om naar het jacht. Sylvie kwam naast hem staan.

'Wel merkwaardig,' zei ze, 'dat ze jou inhuren om een jacht te bergen dat nog in de vaart is.'

'Voor alles is een eerste keer.'

'Nou,' zei ze, 'het zal dan in elk geval geen lastige klus worden.' Ze zweeg even. Toen hij opzij keek, zag hij dat ze fronste. 'Nee, toch?' Ze keek over zijn schouder en wees plotseling naar het huis. 'Kijk!'

Hij richtte zijn verrekijker weer op Silverstone. Duidelijk zichtbaar was de dikke, bleke man bij het zwembad. Hij liep naar de rand van de kaap, naar de plek waar de trap naar het strand voerde. Zo te zien voelde hij zich zeer op zijn gemak.

McGregor kon zijn gezicht niet goed onderscheiden, maar het was duidelijk dat hij geen blanke Jamaicaanse zakenman was, want zelfs zijn gezicht en nek waren bleek.

De man had een kleine doos bij zich, die hij op een merkwaardige manier vasthield. Even snapte McGregor niet wat het was, maar toen zag hij ineens een metalen staaf die in de zon blikkerde.

Een antenne.

Een soort radio. Waarschijnlijk een walkietalkie.

De man tuurde naar het jacht. McGregor richtte zijn verrekijker op de boot, maar daar was niets te zien. Er was nog steeds niemand aan dek verschenen.

McGregor keek weer naar de dikke man. In tegenstelling tot wat hij verwacht had, praatte de man niet in de walkietalkie. In plaats daarvan leek hij op allerlei knoppen te drukken.

Hij hoorde een gedempte klap.

Sylvie zei: 'Het schip!'

McGregor keek naar het jacht en zag een dunne zwarte rooksliert van de achtersteven komen. Het water rond het schip kolkte en draaide, en daarna werd alles weer rustig.

'Krijg nou wat...'

Er was verder niets te horen. McGregor zag hoe de *Grave Descend* langzaam en majestueus door de golven werd verzwolgen. De man op de kaap keek toe.

Toen het schip eindelijk onder water was verdwenen, zagen ze het water op die plek nog steeds kolken en borrelen.

De man op de kaap bleef nog even staan kijken, liet de antenne zakken en liep terug naar het huis.

'Ik vind het ontzettend raar allemaal,' zei Sylvie.

'Ik vind dat je helemaal gelijk hebt,' zei McGregor. Hij stapte in. 'Kom.'

'Waar gaan we heen?'

'We gaan naar de plek waar ik heb afgesproken.

Dan kun je Roger ook eens zien. Hij brengt alle spullen.'

'Oké. En jij?'

'Ik ga een eindje vliegen met Arthur Wayne,' zei hij, 'om naar een gezonken jacht te kijken.'

Het vliegveld van Ocho Rios was ingesteld op heel kleine vliegtuigen en onverschrokken piloten. De startbaan van Boscobel was maar honderd meter lang, en de steile afgrond aan het eind motiveerde de piloten enorm om op te trekken voordat ze over de rand kukelden.

McGregor trof Wayne in de kleine terminal. Wayne wees naar een gele Piper Club die op de startbaan klaarstond. 'Die moeten we hebben.'

McGregor keek hem aan; Wayne glimlachte terug. Hij droeg nog steeds een driedelig pak, ondanks de hitte, en hij had een rood hoofd gekregen, maar straalde veel gezag uit.

Deze man is een leugenaar en een schurk, dacht McGregor toen hij naar Wayne keek, al kon hij dat zelf maar moeilijk geloven. Als hij niet met eigen ogen dat jacht had gezien...

'Goed. Laten we gaan.'

Het probleem, dacht McGregor, terwijl hij met Wayne over het hete asfalt naar het toestel liep, het probleem was dat het allemaal doorgestoken kaart was. Ze hielden hem gewoon voor de gek. De vraag was waar het precies om ging, en wat erachter stak.

Hij besloot dat het tijd was voor een experimentje. Toen de motor rochelend en met een rookwolk tot leven was gekomen en de piloot over de startbaan taxiede, zei McGregor: 'Ik heb al het een en ander geregeld voor morgen.'

'Mooi. Gaat alles volgens plan?'

Het vliegtuig steeg op, klom boven de zee de lucht in en boog traag naar het oosten.

'Eigenlijk niet,' zei McGregor. 'Er zijn een paar tegenvallers.'

'O?'

Er verscheen een teleurgesteld lachje op zijn gezicht. 'Ik ben bang dat mijn krediet te wensen overlaat, meneer Wayne. Iedereen wil net een beetje meer hebben.'

'Meer? Wat meer?'

'Geld,' zei McGregor.

Wayne, die hem eerst welwillend en vriendelijk had aangekeken, wierp hem nu een kille blik toe. 'Hoeveel meer?'

'Tienduizend dollar.'

'Dat is niet bepaald een béétje meer.'

'Dat is wat ze vragen,' zei McGregor schouderophalend.

'Ze? Wie zijn ze?'

'Iedereen. De schipper. Mijn eigen mensen. Ze willen zekerheid, weet u. In het verleden hebben we wel vaker werk aangenomen waarbij de opdrachtgevers met de noorderzon vertrokken toen de klus eenmaal geklaard was.'

'Ik kan u verzekeren, meneer McGregor,' zei Wayne, 'dat we niet met de noorderzon vertrekken.'

'Dat weet ik,' zei McGregor. 'Maar het lukt me maar niet de anderen daarvan te overtuigen.'

Wayne bleef een hele tijd stil. Uiteindelijk zei hij: 'Ik geloof niet dat ik u erg aardig vind.'

'Nou, ik ben ook niet verliefd op u.'

'Ik vind uw verhaal verre van overtuigend. Ik denk dat u gewoon probeert...'

'Moet u eens luisteren, als het u niet zint, neemt u toch gewoon iemand anders?'

'Daar is geen tijd voor,' zei Wayne, 'en dat weet u maar al te goed. We rekenen op u.'

'Binnen achtenveertig uur kunt u vanuit Nassau duikers en apparatuur laten invliegen.'

'Daar gaat het niet om. Waar het om gaat, is dat u akkoord bent gegaan – wij allebei – met een bepaalde regeling en dat u een voorschot hebt ontvangen dat u heel redelijk vond. Aan de andere kant kan ik u ook weer wel snappen,' zei hij. 'Ik zal u een cheque voor vijfduizend dollar uitschrijven.'

McGregor schudde zijn hoofd. 'Tienduizend, anders gaat het niet door.'

Wayne zweeg minutenlang. Uiteindelijk knikte hij.

'Tienduizend dan. Maar dan verwacht ik na afloop van de klus wel een nauwkeurig verslag te ontvangen.'

'Natuurlijk.'

'U krijgt de cheque zo gauw we zijn geland.'

De piloot zei: 'Jullie kunnen Silverstone al zien liggen.'

McGregor keek omlaag toen ze over de kaap vlogen. Van bovenaf gezien leek het huis ontzettend groot, omgeven door een soort gracht of gazon, met een zwembad en een tennisbaan erbij, vanaf de grond aan het oog onttrokken door een dichte palmenhaag.

Ze vlogen weer boven zee. De piloot maakte een bocht naar het noorden, van de kust af. McGregor tuurde omlaag naar het water.

'Vlieg zo langzaam mogelijk,' zei hij.

'Moet ik draaien?' vroeg de piloot.

'Nee, als u maar niet te snel gaat,' zei hij.

'Oké, oké.'

Ze vlogen nog steeds tamelijk snel, leek het. Algauw waren ze een mijl uit de kust zonder dat ze het schip hadden gezien.

'Ga terug.'

De Piper Club helde naar een kant, beschreef een bocht en vloog terug. De schaduw van het toestel gleed over de blauwe zee. McGregor tuurde in het water onder een schuine hoek die de meeste kans van slagen bood. De zee verkleurde van groenblauw naar donkerblauw, en naar lichtere tinten naarmate het ondieper werd. Ze vlogen over de buitenste riffen. Ze hadden het schip niet gezien.

'Keer maar weer om. Terug.'

'Verdomme,' zei Wayne. 'Het schip moet hier ergens liggen.'

'Geduld,' zei McGregor. 'Desnoods kunnen we altijd nog een echolood gebruiken.'

'Waar halen we zo'n ding vandaan?'

'Kingston.'

McGregor keek weer uit het raampje. Hij wist dat de *Grave Descend* meer naar het westen was gezonken, maar hij zei niets. De zoektocht naar een scheepswrak was vaak een tijdrovende en frustrerende zaak, en het was alleen maar gunstig voor hem als het wat langer duurde.

Ze vlogen nog een halfuur rond, tot de piloot zei: 'De brandstof raakt op.'

McGregor zei: 'Vlieg eens iets meer naar het westen.'

Dat deden ze, maar ze zagen het wrak nog niet. Maar toen ze terugvlogen en hij omlaag keek, zag hij de contouren van het schip door het blauw heen schemeren. Het vaartuig lag onder een hoek, iets naar bakboord overgeheld, net buiten de buitenste riffen.

'Daar!'

Wayne keek opgewonden op. 'Het schip? Waar?'

De piloot keerde, waarna ze er een tweede keer overheen vlogen.

'Inderdaad,' zei Wayne knikkend. 'Daar ligt het schip.' Hij haalde een polaroidcamera tevoorschijn en nam een aantal foto's. 'Geen twijfel mogelijk. Dat is de *Grave Descend.*'

'Zo te zien had u gelijk,' zei McGregor. 'Aan de kleur van het water te zien, ligt het schip op een diepte van zestig tot tachtig voet.'

Zelfs vanaf deze hoogte zag hij de luchtbellen die uit het wrak opborrelden. Die bellen verdwenen meestal na achttien tot vierentwintig uur nadat het gezonken was. Het was duidelijk dat dit schip nog maar een paar uur op de bodem lag. Zelfs als hij niet met beide ogen had gezien dat het schip was gezonken, zou zijn argwaan nu gewekt zijn.

Kennelijk versleten ze hem voor een ontzettende sukkel.

'Ga maar terug,' zei Wayne tegen de piloot. Ze vlogen terug naar het vliegveld.

McGregor zei niet veel op de terugreis. Hij probeerde te bedenken wat Wayne van plan zou kunnen zijn. Kennelijk hadden ze geen hoge pet van hem op, maar vonden ze hem op de een of andere manier zo belangrijk dat ze het geen punt vonden om nog eens tienduizend dollar te dokken.

Voor een Jamaicaanse duiker op leeftijd – McGregor hield zichzelf niet voor de gek – was tienduizend dollar een hele smak geld. Dat Wayne bereid was dat bedrag te betalen, had iets te betekenen.

De meest voor de hand liggende verklaring was dat Wayne verwachtte dat die investering het geld waard was.

Wat verwachtte hij dan dat het zou opleveren?

Toen ze geland waren, schreef Wayne een cheque uit en vroeg: 'Waar gaat u nu naartoe?'

McGregor haalde zijn schouders op. 'Nog wat laatste dingetjes regelen. We duiken morgenochtend om acht uur. Wilt u mee?'

'Ik denk dat dat een goed idee is,' zei Wayne met een hoofdknikje.

'Komt u dan maar om kwart voor acht naar de grote steiger,' zei McGregor. Hij draaide zich om.

'Er is nog een klein puntje...'

McGregor bleef staan en draaide zich naar de man om. 'Ja?'

'Waar logeert u?'

'Ik heb een huisje dat ik van een vriend van me mag gebruiken als ik in Ocho ben, een stukje naar het oosten toe.'

'Ik bedenk net,' zei Wayne, 'dat het voor iedereen misschien handiger is als u ook in het hotel overnacht.'

'Dat hoeft niet...'

'Eigenlijk ben ik zo vrij geweest een kamer voor u te reserveren. Uiteraard op onze kosten.'

'Uiteraard.' McGregor kreeg de aandrang te gaan

fronsen, en hij zei: 'Dat lijkt me een uitstekend idee.'

Toen hij wegliep, vroeg hij zich af waarom Wayne hem per se in het oog wilde houden. En daarom keek hij goed in zijn zijspiegel toen hij naar de stad terug-reed.

Een kleine witte Ford Anglia bleef de hele weg vlak achter hem.

6

Hij was er allergisch voor, moest McGregor bekennen: hij vond het niet fijn om gevolgd te worden. Dat had hij nooit fijn gevonden, en hij dacht niet dat hij zich er ooit overheen kon zetten. Hij hield de Anglia zorgvuldig met de zijspiegel van zijn motor in de gaten. Er zat maar één persoon in de auto, de chauffeur, iemand uit de streek.

McGregor stopte bij een pompstation, een kleine test.

De Anglia bleef een eindje verderop aan de kant van de weg staan wachten. De chauffeur deed net of hij op de kaart keek. Wat een klungelige actie, dacht McGregor. Iedereen die hier vandaan kwam, kende het eiland als zijn broekzak tegen de tijd dat hij oud genoeg was om achter het stuur te mogen zitten.

Toen zijn tank vol was, reed hij verder, dwars door de stad. De Anglia reed weer achter hem aan en liet een blauwe Rover tussen hen in rijden.

Dat was niet zo klungelig. McGregor fronste zijn wenkbrauwen: misschien was het toch een professional. Hij reed door tot aan het industrieterrein, bij de sloppenwijk, verliet de weg en volgde een zandpad. Hij reed de heuvel op; zijn motor steunde en sputterde.

De Anglia kwam hem achterna.

De sloppenwijk was deels verlaten, en veel van de hutten waren niet meer bewoond. De regering had anderhalve kilometer verderop goedkope woningen neergezet, en heel wat gezinnen waren daarnaartoe verhuisd. Het was rustig en er was weinig activiteit te bespeuren. Hier en daar liep een kip op de weg, zo nu en dan was een huilend kind te horen, en op een krakkemikkige veranda hing een vrouw wasgoed te drogen.

Hij reed een smaller zandpad op, en uiteindelijk kwam hij bij een duidelijk onbewoonde hut terecht. Hij parkeerde de motor en ging snel naar binnen; toen hij de deur achter zich had dichtgedaan, bleef hij staan en wachtte.

In de tropen bleven oude huizen zelden lang onbewoond; in het verleden werden dat soort gebouwen in Jamaica al snel in bezit genomen door slangen. Maar tegenwoordig kwamen hier geen slangen meer voor: eeuwen geleden hadden plantage-eigenaars mangoesten uit India ingevoerd om de slangenplaag een halt toe te roepen. De mangoesten hadden hun werk goed gedaan, misschien wel te goed: toen er geen slangen meer over waren, vielen ze kippen aan, en zo nu en dan een rat.

Er waren dus geen slangen in dit huis. Misschien wel hagedissen, maar dat vond hij niet erg. Waar hij zich wel aan stoorde, waren de spinnen. Zoals alle beesten op een tropisch eiland werden de spinnen heel groot en dik, en binnen de kortste keren namen ze oude huizen over, verlaten schuren, achtergelaten boten aan de kust. Een spin had niet genoeg gif om iemand te kunnen doden – tenzij het slachtoffer allergisch was voor een spinnenbeet, wat soms voorkwam – maar wel kon je er een week ziek van zijn als je gebeten werd.

McGregor wachtte achter de deur en liet zijn ogen aan het schemerdonker wennen. In een hoek van de kamer zag hij een groot spinnenweb, wit van de dauw, en teruggetrokken in een donker hoekje zat de eigenaar ervan te wachten. Een andere grote, zwarte spin kroop over de grond. Hij zette zijn voet erop en liep naar het raam.

De witte Anglia stopte een paar meter verderop langs de weg. De chauffeur stapte uit en liep voorzichtig naar het hutje van McGregor.

McGregor draaide zich om en liep door naar achteren. Zoals hij al had verwacht, was daar een achterdeur. Hij liep naar buiten. Achter het huis lagen allemaal autobanden, bierflesjes en lege blikjes in het hoge natte gras.

Hij sloop om het huis heen, liep achter twee andere huizen langs en ging de straat op. Hij zag de Anglia staan. De chauffeur zat gehurkt voor het huisje dat McGregor net had verlaten.

McGregor wachtte tot de chauffeur de indruk kreeg dat er niemand binnen was. Hij wachtte minutenlang; kennelijk was de man voorzichtig. Toen ging hij het huis in.

Ogenblikkelijk liep McGregor naar de auto toe, ontgrendelde de motorkap en deed die open. Hij vond de distributeur en trok de draden los. Toen deed hij de motorkap weer zo zachtjes mogelijk dicht, liep naar zijn motor, klapte de standaard in, draaide en liet zich van de heuvel rollen.

Halverwege startte hij de motor en scheurde ervandoor.

Die heb ik mooi afschud, dacht hij. Wayne moet de volgende keer maar een slimmer hulpje inhuren.

En toen bedacht hij: stel dat het Wayne niet was die deze vent heeft ingehuurd?

De vrachtwagen met alle apparatuur stond voor de Cockatoo. McGregor ging naar binnen en zag Roger Yeoman samen met Sylvie aan een tafeltje zitten. Yeoman glimlachte toen McGregor naar hem toe kwam. Hij was een potige, gespierde kerel met een rustige, peinzende gelaatsuitdrukking. McGregor had hem tien jaar geleden ontmoet, toen Yeoman nog een mager ventje was en niets liever deed dan duiken. McGregor had hem zien opgroeien tot een sterke vent die ontzettend goed kon duiken. Zijn sterkste punt was de rust die hij steeds uitstraalde. In de tien jaar dat McGregor hem kende, had hij hem nooit boos meegemaakt, of angstig, en nooit wond hij zich ergens over op. Toch was daar gelegenheid genoeg voor geweest. McGregor kon zich één duik nog goed herinneren, vijf jaar geleden, toen Yeoman op een moeraal had geschoten. Het was een belabberd schot waardoor de moeraal veel te ver van de kop was geraakt, zodat het beest niet onmiddellijk dood was. Het gewonde beest was boos geworden en tot de aanval overgegaan, waarbij hij zijn vlijmscherpe tanden in de linkerenkel van Yeoman had gezet. Dat zou voor elke andere duiker voldoende aanleiding zijn geweest om totaal in paniek te raken, maar Yeoman hield het hoofd koel, haalde het mes uit de schede die hij aan zijn andere been bevestigd had, en stak de moeraal net zo lang tot het beest losliet.

De moeraal kon later alleen met de gezamenlijke inspanningen van Yeoman en McGregor naar de oppervlakte worden gebracht. Het beest was bijna drie meter lang en woog zo'n vijfenveertig kilo.

McGregor moest ook denken aan de avond toen Yeoman in een kroeggevecht verwikkeld was geraakt. Yeoman had een nieuwe vriendin, en kennelijk was het niet iedereen duidelijk bij wie ze hoorde. Rond middernacht kwam een man de kroeg binnen, in het gezelschap van drie kameraden, om de zaak uit te vechten.

Yeoman was overeind gekomen en had zich bij zijn vriend geëxcuseerd.

McGregor had gezegd: 'Hulp nodig?'

'Blijf er maar bij, *mon*, en zorg dat het eerlijk verloopt. Nicky's drukken de pret altijd ontzettend.'

Een Nicky was in het plaatselijke dialect een stiletto. McGregor kwam ook overeind, maar bleef op zijn plek staan. Yeoman richtte zich tot de eerste van de vier mannen en zei: 'Wat is er aan de hand?'

En met die woorden haalde hij abrupt uit en sloeg de man recht op zijn mond. De man viel achterover, rolde over de grond en greep naar zijn gezicht.

Een van zijn metgezellen stoof naar voren. Yeoman trapte hem in de maag, waarop de man een kreet slaakte en dubbelklapte. Als bonus gaf Yeoman hem een trap in zijn gezicht. Terwijl de man in elkaar zakte, dook de volgende van achteren op Yeoman af, maar die bukte zich, liet zijn belager over zijn rug naar voren duikelen, en toen de man op de grond tuimelde, schopte hij hem zonder pardon in zijn buik.

Er was nog één man over, die met verbazing had staan toekijken. Nu trok hij een mes.

Yeoman knipperde met zijn ogen zonder zich verder te verroeren. 'Die wil jij hier niet gebruiken,' zei hij heel rustig.

De man aarzelde even, draaide zich toen om en ging er op een holletje vandoor.

Yeoman draaide zich rustig om naar de cafébaas en gaf hem vijf dollar. Hij knikte naar de drie mannen die op de grond lagen te kreunen van de pijn. 'Maken jullie de boel maar netjes schoon,' zei hij, en met die woorden ging hij weer aan het tafeltje zitten.

McGregor had gezegd: 'Lekker tempo heb je.'

'Tja,' had Yeoman gezegd. 'Als het op knokken aankomt, moet je er een beetje de vaart in houden.' Hij had daarbij zowaar even geglimlacht.

Terwijl McGregor ging zitten zei Yeoman: 'De spullen zitten in de vrachtwagen. Ik heb de boot.'

'Mooi. Alles klaar voor morgen?'

'Alles klaar, mon. Maar van Sylvie heb ik gehoord...'

'Het is allemaal waar.'

'Hocus pocus,' zei Yeoman met een ernstig gezicht. Die term gebruikte hij om een breed scala aan rare gebeurtenissen en interessante voorvallen aan te duiden.

'Daar lijkt het wel op,' zei McGregor.

'Willen ze je voor het een of ander laten opdraaien?'

McGregor knikte.

'Dan kun je er beter meteen mee kappen,' zei Yeoman. 'Hocus pocus moeten we niet hebben.'

'Dat is waar,' zei McGregor, en hij bestelde een biertje. 'Maar...'

'Je bent nieuwsgierig geworden,' zei Yeoman.

'Zoiets, ja.'

'Het is altijd de nieuwsgierige vis die aan de haak

geslagen wordt,' zei Yeoman.

'Weet ik. Maar we kunnen eerst wel een tijdje om het aas blijven zwemmen, om eraan te ruiken. We hoeven niet meteen te bijten. Bovendien betalen ze behoorlijk goed.'

Hij liet de cheque van tienduizend dollar zien.

'Ho, mon,' zei Yeoman. 'Dat is op zich al aas wat je daar in handen hebt.'

'Misschien.'

'Ik denk dat ik eens op onderzoek uit ga,' zei Yeoman 'Hier en daar.'

McGregor knikte. Yeoman kende veel mensen op het eiland, bizarre en aparte figuren die een blanke nooit te spreken zou krijgen. Zijn 'onderzoekjes' hadden in het verleden veel opgeleverd.

'Goed. En zorg dat de boot om kwart voor acht klaarligt. Ik heb een kamer in het hotel, blijkt nu. Die hebben ze voor me gereserveerd.'

Sylvie zei: 'Ik ga ook mee.'

McGregor schudde zijn hoofd. 'Dat lijkt me geen goed idee.'

Dat antwoord zinde haar niets, maar ze legde zich er toch bij neer.

Yeoman zei: 'Nog meer hocus pocus?'

'Ik zou er niet raar van staan kijken,' zei McGregor. Hij dronk zijn biertje op en kwam overeind. 'Er zijn een paar dingen die misschien handig zijn om even na te trekken,' zei hij. 'Bijvoorbeeld waar de boot door de douane is gegaan. En ook wie iemand met een witte Anglia heeft ingehuurd om me te volgen.'

Yeoman knikte.

Sylvie zoende McGregor op zijn wang, keek hem

quasidreigend aan – een waarschuwing tegen hocus pocus – waarna hij naar het hotel ging.

Hij reed door het centrum, stopte bij het tankstation en pleegde een telefoontje.

Een opgewekte mannenstem nam op. 'Met de Plantation Inn.'

McGregor zei: 'Met Pan American. We willen graag een reservering bevestigen voor de heer Arthur Wayne. Hij is gisteren aangekomen en zal twee weken in uw hotel verblijven, tot de drieëntwintigste.'

'Een momentje alstublieft.'

Hij hoorde het geritsel van papieren. Toen de man weer aan de lijn kwam, klonk hij onzeker.

'Om wie ging het, zei u?'

'Wayne, de heer Arthur Wayne.'

'Dat heb ik begrepen, maar de reservering?'

'Van gisteren tot de drieëntwintigste. Hier staat dat hij...'

'Ik zal even met meneer Wayne zelf moeten overleggen,' zei de man. 'Waarschijnlijk is er iets misgegaan. Volgens onze gegevens is meneer Wayne hier een week geleden aangekomen en zal hij hier over drie dagen weer vertrekken.'

'Juist. Kunt u daar een bevestiging van vragen?'

'Zeker.'

'Belt u ons maar terug. Hartelijk dank.'

Hij hing op.

Wayne was hier dus al een week. Merkwaardig.

En hij zou over drie dagen vertrekken.

Dat was nog merkwaardiger.

Hij reed naar het hotel, parkeerde de motor en checkte in. De receptionist had hem 's ochtends alleen misprijzend aangekeken, maar nu keek de man hem praktisch het hotel uit.

'Hebt u bagage bij u, meneer?'

'Alleen geestelijke bagage.'

'Haha, meneer maakt een grapje. De kruier zal u uw kamer wijzen.'

'Doe geen moeite, ik vind het zelf wel.'

Het was een vrolijk ingerichte kamer, net als die van Wayne, maar waar Wayne uitzicht had op het zwembad, keek hij uit op de tennisbanen. Hij bestelde een rum collins, tekende ervoor – waarom ook niet? – en ging zitten nadenken.

Wat wist hij nu precies?

Punt één: dat het allemaal één grote poppenkast was. Van het begin tot het einde één grote poppenkast. Wayne was al veel eerder op het eiland aangekomen; het meisje en de kapitein hadden ongetwijfeld instructies gekregen wat ze wel en niet mochten zeggen. En het jacht was tot zinken gebracht, op een keurig van tevoren gepland tijdstip.

Punt twee: hij wist dat de oplichterij heel wat kostte. Het stonk gewoon naar geld. Die tienduizend dollar die Wayne aan McGregor had gegeven was nog niets in vergelijking met de rest. Je liet een jacht van twee miljoen niet zomaar afzinken als je daar geen heel goede en 'geldige' reden voor had. Kennelijk stonden er gigantische bedragen op het spel.

Punt drie: dingen leken allemaal om hem te draaien. Ze hadden zijn hulp ingeroepen, ze hadden hem voor de gek gehouden, alsof hij een sukkel was. Hij speelde in dit complot kennelijk een cruciale rol.

Wat dat complot dan ook maar mocht behelzen.

Wat kon er in hemelsnaam achter zitten?

Hij dacht daar een tijdje over na en kwam niet verder. Maar hij verwachtte binnen niet al te lange tijd hulp te krijgen.

Want dat maakte er deel van uit, dat wist hij zeker. Ze hadden hem in dit hotel gestopt om hem in de gaten te kunnen houden. Maar nu konden ze nog veel meer doen.

Ze konden hem nog meer zand in de ogen strooien.

Hij nipte van zijn rum, leunde in zijn stoel achterover en wachtte af.

Toen er na een uur nog niets gebeurd was, kwam hij tot de conclusie dat hij te goed van vertrouwen was geweest, of misschien te naïef. Per slot van rekening waren ze niet op hun achterhoofd gevallen. Ze zouden subtieler te werk gaan.

Hij ging naar beneden, naar de bar.

Monica Grant zat in haar eentje in een hoekje mooi te wezen en verveeld voor zich uit te staren. Zo nu en dan kwam er een escortjongen naar haar toe, die ze dan achteloos wegwuifde, waarna die weer afdroop. Plantation Inn beschikte over zeer discrete jongens.

Toen McGregor naar haar toe liep, keek ze hem glimlachend aan. 'Mag ik je een drankje aanbieden?' vroeg ze.

Hij glimlachte en ging naast haar zitten. 'Mag je wel gezien worden in het gezelschap van het personeel?'

Ze haalde haar schouders op. 'Waarschijnlijk niet.'

Hij bestelde twee rum collins. 'Waarom niet?'

Ze zweeg een minuut lang, en toen zei ze: 'Ik ben blij dat je er bent. Ik begon me al zorgen te maken.'

'Mooie meiden zouden zich nergens druk om hoeven maken.'

'Ik denk dat er iets raars aan de hand is,' zei ze. 'Wayne heeft vanmiddag met me gesproken. Arthur. Als de politie vragen kwam stellen, zei hij, mocht ik ze niet te woord staan, maar moest ik ze naar hem sturen. Vind je dat nou niet raar?'

McGregor vond dat inderdaad raar. Hij vroeg zich af waarom ze dat aan hem vertelde. Ze droeg een veelkleurig hemd dat goed liet zien hoe bruin ze overal was, mooi gelijkmatig. Ze had een prachtige gladde huid.

'Hij zei ook dat ik niet met jou mocht praten.'

'O.'

Maar ze zat heel toevallig in haar eentje in de bar. Hij vroeg zich af hoe lang ze al op hem had zitten te wachten.

'Althans niet over de *Grave Descend*,' voegde ze eraan toe.

'Prima,' zei hij. 'Laten we het dan over iets anders hebben. Bijvoorbeeld over de eigenaar. Robert Wayne. Wanneer heb je hem voor het eerst ontmoet?'

Monica haalde diep adem. 'Nooit,' zei ze.

'O.'

'Luister eens,' zei ze, 'ik krijg hier zo langzamerhand een beetje de kriebels van. Zes weken geleden werkte ik nog in New York. Komt er ineens een man naar me toe die ik nooit eerder gezien had, een jonge, goedgeklede vent, die me twintigduizend dollar bood als ik op een cruise wilde gaan. Het was helemaal in de haak, zei hij. De eigenaar van het jacht zocht een aantrekkelijke jonge vrouw die als een soort gastvrouw zou fungeren voor een cruise naar Aruba, waar hij een paar zakelijke connecties voor uitgenodigd had. Het was een oude man, en het enige wat ik zou hoeven te doen, was een beetje glimlachen en drankjes mixen, dat soort dingen. Ik heb toen ja gezegd.'

'Juist.'

'Ik had eigenlijk geen keus,' zei ze. 'Toen mijn man vorig jaar van me scheidde, liet hij me achter met een dochtertje van twee. Ik heb geprobeerd zelf de kost voor haar en mij te verdienen, maar dat viel niet mee. Twintigduizend dollar zou de zaak er een stuk gemakkelijker op maken.'

'Ga verder.'

'Hij gaf me drieduizend dollar en een vliegtuigticket naar West Palm. Retourvlucht vanaf Aruba. In Jamaica zou ik de eigenaar ontmoeten. Ik vond het een merkwaardige toestand, maar zoals ik al zei, kon ik het geld goed gebruiken.'

'Dus toen ben je gegaan.'

'Ja. En nu gebeurt dit allemaal. Ik snap er helemaal niets van.' Ze boog zich naar hem toe en raakte zijn hand aan. 'Ik denk dat Wayne een of ander plannetje heeft bedacht,' zei ze. 'Een of ander groots plan. Hij manipuleert iedereen, allemaal in het kader van dat plan.'

'O?' zei McGregor.

Ze keek hem fronsend aan. 'Had je dat niet in de gaten? Vond je het ook niet raar?'

'Ik dacht er het mijne van,' zei McGregor. 'Maar ik had het geld ook nodig.'

Ze lachte flauwtjes. 'Dan hebben we iets gemeen.'

Heel even raakte haar been het zijne.

'Blijkbaar.'

'Maar wat moeten we nu doen?' vroeg ze.

'Speel het spelletje mee,' zei McGregor. 'Morgen ga ik duiken, daarna weten we meer.'

'Dat zou best wel eens gevaarlijk kunnen zijn,' zei ze, 'voor jou.'

'Ja, dat zou goed kunnen.'

Ze pakte zijn hand en kneep er even in. 'Je moet wel voorzichtig doen, hoor.'

'Zal ik doen,' zei hij.

Toen hij zich naar haar toe boog om haar een kus op de wang te geven, draaide ze zich snel naar hem toe en zoende hem lang en vol op de mond.

'Ik vind dit echt een fascinerend eiland,' zei ze. 'Kun je me er eens wat van laten zien?'

'Dat zou me een genoegen zijn,' zei hij.

'Nu meteen?'

'Nu meteen.'

Ze droeg een korte badjas en rookte een sigaret op het balkon.

'Ik heb nog nooit een duiker ontmoet,' zei ze.

'Wij duikers kunnen heel lang onze adem inhouden.'

'Ja. Heel lang.' Ze glimlachte. 'Je hebt zeker nooit overwogen om in New York te gaan wonen?'

'Nee,' zei hij. 'Dat heb ik nooit overwogen.'

'Jammer.'

Ze rookte haar sigaret op, kwam weer de kamer in, en liet de badjas van zich af glijden. Ze verklaarde dat ze ging douchen en vroeg of hij samen met haar onder de douche wilde. Hij sloeg het aanbod af. Zo gauw hij het water hoorde stromen, doorzocht hij snel haar kamer.

Eerst haar handtas.

Make-upspullen, oogschaduw, lippenstift, oude brieven – en helemaal onderin een Derringer, een met goud en nepedelstenen belegd pistooltje met .22 kaliber kogels.

Leuk.

Hij liep naar haar koffer. Ze had geen paspoort nodig, maar er zou vast wel een of ander document te vinden zijn waaruit bleek wie ze was...

Onder een stapeltje uitdagende lingerie vond hij het. Een ticket van New York City naar Montego Bay, retour. Op naam van Barbara Levett. Ze was hier een week geleden naartoe gevlogen. En zou hier over drie dagen weer vertrekken.

'Oei,' zei hij, terwijl hij het ticket bekeek.

Barbara Levett?

Die naam kwam hem op de een of andere manier bekend voor. Hij dacht erover na, tot hij hoorde dat ze de kraan in de douche dichtdeed. Snel deed hij het ticket terug in de koffer en liep weer naar het bed, waar hij zich begon aan te kleden.

Dat verbaasde haar. 'Ga je weg?'

'Beter van wel.'

'Waar ga je dan heen?'

'Naar mijn eigen kamer. Ik moet een paar telefoontjes plegen. Per slot van rekening moet ik morgen aan het werk.'

'Kan ik je niet verleiden tot...'

'Sorry,' zei hij, en hij gaf haar een vluchtige zoen.

'Morgen?'

'Misschien. Zien we nog wel.'

Hij kuste haar weer toen hij zich had aangekleed, en daarna ging hij weg. Hij trok de deur achter zich dicht, bleef even op de gang staan wachten en legde zijn oor tegen de deur.

Hij hoorde haar voetstappen, daarna een klik toen ze de hoorn van de haak nam. Haar stem klonk enigszins gedempt vanachter de deur, maar toch kon hij horen wat ze zei.

'Kamer vier-twee-drie,' zei ze. Ze wachtte.

Dat was Waynes kamernummer.

'Arthur? Met mij... Ja, precies wat je al voorspeld had... Ja, ik weet zeker dat hij gekeken heeft... Is goed... Prima...'

Ze hing op.

McGregor liep weg. Hij had het koud.

7

Terug op zijn kamer zag hij dat er naast de telefoon een rood lampje stond te knipperen. Hij keek er even naar en pakte de hoorn van de haak.

'Ja, meneer?' vroeg de telefoniste.

'Er knippert hier op mijn kamer een rood lichtje.'

'Dat betekent dat er een bericht voor u is achtergelaten, meneer.'

'O.'

'Een ogenblikje, alstublieft.'

Hij hoorde papiergeritsel.

'Hier heb ik het, meneer. U wordt verzocht om middernacht naar de Big Bamboo te komen.'

'Wie vraagt dat?'

'Het bericht is van ene Waldo. Geen achternaam.'

McGregor knikte. Waarom ook niet? Hij keek op zijn horloge; het was halftwaalf.

'Oké, bedankt,' zei hij, en hij hing op.

Hij verliet zijn kamer en liep naar de parkeerplaats, waar Sylvies sportauto voor hem was neergezet, met de sleuteltjes onder de stoel. Toen hij achter het stuur ging zitten, dacht hij aan Monica, of Barbara, of hoe ze ook maar mocht heten. Hij kreeg er een raar gevoel bij.

En nu Waldo.

Hij wist zeker dat hij niemand kende die zo heette. Hij kende trouwens ook niemand die regelmatig in de Big Bamboo kwam. Dat was een tent die ver onder het niveau van de Cockatoo lag. Elke avond za-

ten er allemaal knappe zwarte jongens met de ge-
trouwde dames uit Ohio en de onderwijzeressen uit
Vermont te flirten, terwijl de band refreintjes zong ter
meerdere eer en glorie van de big bamboo.

Da big bamboo, goes all night long,
Da big bamboo, comes right along,
Da big bamboo, it is so strong,
Da big bamboo, comes all night long.

Niet echt een toplocatie, maar goed genoeg voor de
Waldo's van deze wereld.

Hij reed terug naar het centrum. Het was donker,
en op dit tijdstip lag de weg er verlaten bij. Eerder op
de avond was er veel volk op de been geweest, de lokale bevolking die van het werk kwam of op weg was
naar de kroeg, maar nu lagen de trottoirs er verlaten
bij. De weg liep met flauwe bochten langs de kust...

Hij trapte boven op de rem, en de banden gierden
toen het beest de weg op rende. Een geel beest, een
soort grote kat. Midden op de weg bleef het beest
staan en draaide zijn kop naar de auto die op hem af-
kwam. Zijn ogen lichtten heldergroen op in het
schijnsel van de koplampen.

De auto kwam slippend tot stilstand, en vanuit de
struiken kwam een jonge vrouw aangesneld. Ze was
zeer aantrekkelijk, zoals je mag verwachten van een
jonge vrouw die rond middernacht op een verlaten
weg loopt, gekleed in een minirok met lovertjes en
een bloes.

'Fido!' riep ze. Ze pakte de kat op. 'Stoute Fido!'

Ze gaf de kat een tik en deed hem een halsband om.
De kat begon te blazen en opende zijn kaken in een

trage geeuw, waardoor zijn grote tanden zichtbaar werden.

'Af, Fido!' zei de vrouw, en weer gaf ze hem een klap.

Ze liep naar zijn auto; de lovertjes glommen in het licht van de koplampen. 'Sorry hiervoor, hoor,' zei ze.

'Geeft niets.'

Ze vertoonde de typerende fysieke kenmerken van de plaatselijke bevolking: hoge jukbeenderen, fijne gelaatstrekken, grote warme ogen, een tanig atletisch lijf.

'Fido voelt zich niet zo goed. Al dagen niet. Hij is steeds uit zijn humeur.'

Fido begon te grommen, mogelijk uit protest tegen het feit dat zijn naam door het slijk werd gehaald. Van dichtbij leek de kat nog groter. Hij had een gele vacht met donkere vlekken.

'Jaag je op een grote muis?'

'Nee.' Ze schonk hem een glimlach. 'Fido is een ocelot.'

'O,' zei hij.

Ze zweeg even. 'Zou u iets voor me willen doen?'

Dat had hij al verwacht, en hij aarzelde.

'Ik wil Fido graag naar huis brengen. Mijn auto is kapot... Zou u ons een lift willen geven?'

McGregor keek nog eens naar Fido. Fido keek te-rug en begon weer vijandig te geeuwen. Van Fido ging zijn blik naar het interieur van zijn sportauto, die maar plaats bood aan twee personen, en die met de minuut kleiner leek te worden.

'Om hem hoeft u zich geen zorgen te maken, hoor,' zei ze, terwijl ze om de auto heen liep en het portier opendeed. 'Hij is zindelijk.'

'Dat is een hele geruststelling.'

'In de auto, Fido!' Ze hield het portier open.

Fido sprong naar binnen. Ze duwde hem in de krappe ruimte achter de twee stoelen. Het beest zat in McGregors nek te hijgen.

'Hoor eens, weet je zeker...'

'We wonen heel dichtbij,' zei ze. 'Ik stel uw hulp zeer op prijs.'

Ze stapte in en sloeg haar benen over elkaar, die bruin waren, en helemaal niet onaardig om te zien.

'Hij zit in mijn nek te hijgen,' zei McGregor.

'Inderdaad. Dat doet hij bij iedereen. Dat is zijn manier om aardig te doen.'

'O.'

'Ik ben Elaine Marchant,' zei ze. Ze gaf hem een hand.

'Jim McGregor.'

'Ik stel uw hulp zeer op prijs,' zei ze nogmaals. 'Keert u hier maar. Het is maar een paar kilometer de andere kant op.'

McGregor deed wat ze zei. Ze stak een sigaret op en leek zich prima op haar gemak te voelen. Dat was eigenlijk ook logisch, want die kat zat niet in háár nek te blazen.

'Ik heb Fido trouwens nog maar net,' zei ze, toen hij had gekeerd. 'Ik moest hem wel nemen vanwege Fiona.'

'Fiona?'

'De andere ocelot. Je kunt niet één ocelot nemen. Fiona is het vrouwtje. Maar erg lief is ze niet; ze heeft Ralph te grazen genomen.'

'Ralph?'

'Ralph was Fido's voorganger. Hij was een schatje,

echt een schatje.' Elaine Marchant zuchtte.

'Wat is er met hem gebeurd?'

'Hij heeft de liefde met haar bedreven. Zeer gepassioneerd.'

'En toen?'

'Tja, eigenlijk kon je wel verwachten wat er toen gebeurde. Dat is per slot van rekening allemaal instinct, hoe ze reageren.'

'Hoe reageren ze dan?'

'Fiona heeft zijn ballen afgebeten,' zei ze.

'O.'

'Dat doen vrouwtjes altijd nadat ze gepaard hebben.'

'O.'

'Als je een ocelot bent.'

'O.'

'Woont u hier ergens in de buurt?'

'Kingston,' zei hij.

'Wat brengt u naar de Gold Coast?'

'Zaken.'

'U ziet er niet echt uit als een zakenman,' zei ze.

'Ik mag mezelf ook nauwelijks een zakenman noemen,' zei hij. Hij hield zijn ogen op de weg. 'Hoe ver is het nog?'

'Nog een paar kilometer.'

Ze kwamen langs de Plantation Inn en reden naar het oosten.

Fido begon vervaarlijk te grommen.

'Hij vindt het echt heerlijk om in de auto te zitten,' zei Elaine, 'en de wind door zijn vacht te voelen.'

'Leuk.'

Ze ging verzitten. Haar rok leek van metalen ringetjes gemaakt, geweven of gebreid, als een maliënkolder. Steeds als ze bewoog, maakte dat geluid.

'Werk je hier in de buurt?' vroeg hij.

'Nee.'

Door de toon waarop ze antwoord gaf, stokte het gesprek. Een aantal minuten zei hij verder niets. Ze reden vijf of zes kilometer door.

'Is het nog ver?' vroeg hij.

'Nee. We zijn er bijna.' En toen zei ze: 'Ocelots zijn aparte dieren.'

'Heel apart.'

'Ik ben er vier jaar geleden mee begonnen. Eerst had ik alleen Ralph. Dat was zo'n schatje. Heel lief, heel speels. Maar hij werd compleet gek.'

'Ach, wat naar.'

'Ik had geen idee wat ik met hem aan moest, dus daarom ben ik naar de dierenwinkel gegaan waar ik hem vandaan had. Daar zeiden ze dat hij eenzaam was. Ocelots worden echt compleet gek als ze geen seks hebben.'

'O.'

'Daarom heb ik Fiona gekocht, al vond ik haar veel minder leuk.'

Ze rekte zich loom uit en gooide haar sigaret weg, het donker in.

'Waarom vond je haar niet zo leuk?'

'Ze deed echt heel kattig. Weet je dat vrouwtjes heel kattig kunnen doen?'

'Hmmm.'

'En toen dat gedoe met die arme Ralph. Ik was echt woedend.'

'Dat kan ik me voorstellen.'

'Ik bedoel, Ralph was heel duur. Een goede ocelot kost vierhonderd dollar.'

McGregor vroeg zich af wie haar dierenhobby bekostigde.

'Maar ik kon er niets aan doen,' zei ze. 'Toen Fiona alleen was, gedroeg ze zich werkelijk onmogelijk. Ze heeft me zelfs hier gekrabd...' Ze trok haar korte rok op om de rode strepen op haar heup te laten zien. '... en toen had ik het helemaal gehad. Toen moest ik Fido wel kopen.'

'Juist.'

'En dat gaat nu heel goed. Fido is een heel lieve ocelot.'

McGregor voelde de hete, vochtige adem van het beest in zijn nek. Hij hoopte vurig dat het waar was wat ze zei. 'En krijgt hij genoeg te eten?'

'Ja, hoor,' zei ze lachend. 'U vertrouwt hem maar niks, hè?'

'Ik... ben er niet helemaal gerust op.'

'Fido doet niets, hoor,' zei ze. 'Hij valt zelden aan. Dat vond Robert wel jammer...' Ze zweeg even. 'We proberen hem nu af te richten, weet u.'

'Af te richten?'

'Als waakkat. Hij wordt vast een hele goede.' Toen zei ze: 'Stop! Hier is het!'

Hij zette de auto aan de kant van de weg neer. Elaine stapte uit en trok Fido met zich mee. Ze bedankte McGregor, zwaaide enthousiast, stak de weg over, en liep door de zware toegangsdeuren van de poort een oprijlaan op die naar een huis voerde dat achter struiken en bomen verscholen lag.

Boven de poort stond de naam van het huis. McGregor fronste zijn wenkbrauwen.

SILVERSTONE.

In de Big Bamboo was het een lawaai vanjewelste. Hij liep naar de bar en wenkte de barman.

'Is Waldo er ook?'

'Wie?'

'Waldo.'

'Waldo? En hoe nog meer?' zei de barman. Hij keek hem argwanend aan.

'Alleen Waldo, meer niet.'

'Wie ben jij?'

'McGregor.'

De barman wees met zijn duim. 'Achterin.'

McGregor liep tussen de tafeltjes door naar achteren. Op een podium deed een jonge vrouw een vuurdans. Overal in het Caraïbisch gebied werden er vuurdansen voor toeristen gedaan, uitgevoerd door meisjes die verder weinig talenten bezaten. De meisjes droegen een bikini en huppelden om een bak met benzine heen, waar ze hun tenen in staken, erbij hurkten en allerlei suggestieve dingen deden. McGregor had een sterk vermoeden dat er in Amerika een wet van kracht was die toeristen verbood uit het Caraïbisch gebied terug te keren als ze geen vuurdans hadden gezien.

Het kamertje achterin lag naast de toiletten; hij zag geen bordje. Hij klopte aan, deed de deur open en ging naar binnen.

Het was donker. Echt aardedonker. Hij ging met zijn hand langs de muur, op zoek naar een lichtknop.

'Niet doen,' zei een stem.

Hij verstrakte.

'Blijf daar maar staan en beweeg je niet. Hoe heet je?'

McGregor tuurde in het duister in een poging te

zien waar de stem vandaan kwam, maar het was echt te donker om iets te kunnen zien.

'McGregor.'

'Goed. Ik ben blij dat je gekomen bent, McGregor. We moeten eens even met elkaar babbelen.'

Het was een zware stem, die hem totaal niet bekend voorkwam.

'Ik praat wat makkelijker met het licht aan,' zei McGregor.

'Ik niet.'

Er viel een stilte. McGregor wachtte af. 'Goed dan,' zei hij uiteindelijk. 'Laten we praten.'

'Je bent een duiker,' zei de stem.

'Ja.'

'Morgen ga je naar de *Grave Descend* duiken.'

'Dat klopt.'

'Zit je daarover in?'

'Ik zit over iedere klus in.'

De stem zuchtte diep. 'McGregor, we hebben geen tijd voor dit soort spelletjes. Je zou je ernstig zorgen moeten maken. Dingen zijn niet wat ze lijken.'

'O, nee?'

'Niet in de verste verte,' zei de stem.

'Hoe zit het dan?'

'Je wordt erin geluisd,' zei de stem.

'Interessant.'

'Ik zou je willen adviseren je terug te trekken, je handen ervan af te trekken.'

'Om het duiken aan jou over te laten?' zei McGregor.

De stem lachte. Het was geen fijne lach. 'McGregor, ze zijn van plan je te vermoorden. Besef je dat wel?'

'Nee.'

'Ze zijn van plan je te vermoorden,' zei de stem nogmaals. 'Als ze met je klaar zijn.'

'Ik zal het in gedachten houden.'

'Doe dat vooral,' zei de stem. 'Doe dat vooral.'

Er viel een lange stilte.

'Je kunt wel weer gaan,' zei de stem.

McGregor verliet het vertrek.

Eenmaal buiten was zijn eerste idee om Harry te bellen. Harry was inspecteur van politie in Kingston, iemand die hij redelijk goed kende. Het zou niet moeilijk zijn om alles op Harry's bordje te schuiven en zijn handen ervan af te trekken. Als hij ook maar een greintje verstand had, zou hij dat doen.

Hij zuchtte.

Hij had geen greintje verstand.

Hij reed de straat door en zette de auto op een plek neer waar hij vanuit de Big Bamboo niet te zien was. Toen liep hij terug naar de disco en verstopte zich in de struiken tegenover de ingang. Hij ging zitten wachten en dacht na, al ging dat laatste hem moeilijk af. Hij was moe, hij moest morgen duiken, en hij viel om van de slaap.

Hij wachtte.

Een halfuur verstreek, en toen een uur. Hij zag mensen de disco uit komen, maar hij zag niemand die hij kende.

En toen kwam er op een gegeven moment een witte Anglia aan. De man achter het stuur was een *local*. Hij toeterde een keer.

Arthur Wayne, nog steeds in zijn driedelige pak, kwam de club uit en stapte in de Anglia, waarna ze wegreden.

McGregor keek de auto na tot de rode achterlich-
ten waren verdwenen. Verdomd merkwaardig, dacht
hij.

Hij ging terug naar het hotel om te gaan slapen.

8

De volgende morgen om acht uur vertrokken ze met de boot en voeren ze naar open zee. Het was een heerlijke, rustige dag. Er stond geen wolkje aan de lucht, en de zon was al warm. De zee lag er glad bij, als een spiegel, zoals zo vaak 's morgens vroeg. Later op de dag zou er een aflandige wind opsteken, die het oppervlak in beweging bracht, maar voorlopig was het water rimpelloos en helderblauw.

McGregor had de apparatuur samen met Roger Yeoman gecontroleerd terwijl de anderen toekeken. Ze hadden vier dubbele tanks met een totale capaciteit van zo'n zevenentwintighonderd liter. Ze schroefden de manometers erop, controleerden de druk, sloten de zogeheten octopussen aan, ademden even door het mondstuk, hoorden de zuurstof sissen en de kleppen klikken. Tevredengesteld richtten ze zich op de harpoenen.

McGregor gebruikte altijd Mantos-harpoenen met een handgreep in het midden. De tanks met koolstofdioxide werden onder de speer gehangen; als je de trekker overhaalde, kwam een stoot gas vrij, waardoor de speer veel sneller wegschoot dan bij een harpoen met strakgetrokken elastiek. De speerpunten waren grote dingen, die op de speren werden geschroefd nadat ze met kaliber 375 Magnum-patronen waren uitgerust. Wanneer ze doel troffen, knalden de Magnums uit elkaar, waardoor de speerpunt nog meer vaart kreeg en de weerhaken uitklapten. Met een perfect schot, vlak achter of boven de kieuwen, werd het ruggenmerg verwoest, waardoor zelfs een grote haai in een oogwenk werd gedood. Maar McGregor wist uit ervaring dat een perfect schot een zeldzaamheid was. Hij nam de geweren mee onder water omdat hij zich dan veiliger voelde, niet omdat hij serieus dacht dat hij er met gemak een haai mee kon doden.

De haai was een van de meest succesvolle wezens der evolutie. Net als een ander zeer succesvol beest, de mossel, bestond de haai al vierhonderd miljoen jaar in vrijwel dezelfde vorm. Hij had geen botten, alleen kraakbeen; hij had een dikke, ruwe huid die net zo gevaarlijk was als zijn scherpe tanden. En wat de haai tekortkwam met zijn gezichtsvermogen, werd gecompenseerd door zijn uitzonderlijk scherpe reuk. Uit onderzoek was gebleken dat haaien tot op een afstand van achthonderd meter bloed konden ruiken. De mariene biologen wisten dit wel, maar begrepen het niet. Je kon haaien lokken met een ontzettend kleine hoeveelheid bloed; tegen de tijd dat de moleculen zich over een afstand van achthonderd meter hadden verspreid, waren ze nauwelijks nog waarneembaar.

Bovendien kwamen de haaien al op het bloed af *voordat* de moleculen zich in het water hadden verspreid.

Niemand begreep daar iets van.

Ook begreep niemand waarom haaien gewoon doorzwommen nadat ze ernstig gewond waren geraakt. Mogelijk had de haai een diffuus zenuwstelsel; ook als de hersenen en het ruggenmerg ernstig waren beschadigd – in die mate dat een mens onmiddellijk zou sterven – kon een haai vrolijk doorgaan met het verorberen van de duiker in kwestie.

McGregor wist dat ze niet snel doodgingen.

Ook wist hij dat dat voor hamerhaaien nog sterker gold. En in het gebied waar de *Grave Descend* was gezonken, stikte het van de hamerhaaien.

Terwijl hij de explosieve speerpunten inspecteerde en de patronen aanbracht, vroeg Monica: 'Is dat echt nodig?'

'Ik ben bang van wel.'

Arthur Wayne stond toe te kijken en ondertussen een biertje te drinken. Omdat ze de hele dag op het water zouden zijn, had hij zijn driedelige pak verruild voor een zwembroek en een felgekleurd poloshirt.

'Dus het is niet slim om even te gaan zwemmen terwijl jullie duiken?' vroeg hij.

'Dat is zeker niet slim,' zei McGregor.

Sylvie haalde de duikpakken, zwemvliezen en duikmaskers op. Ze liep op McGregor af en knikte Monica nauwelijks merkbaar toe.

'Ik vind haar maar niks,' fluisterde ze.

'Ik ook niet,' zei McGregor.

'Daar geloof ik niets van,' zei ze.

'Toch is het zo.'

Het duurde een uur voordat ze bij de kaap waren. Ze voeren verder naar het oosten, tot voorbij de riffen. McGregor ging op de brug staan. Ze hadden de polaroidfoto's om zich te oriënteren, maar de beste manier om een wrak te vinden, was door op de brug te gaan staan en je ogen goed open te houden.

Hij gaf opdracht langzamer te gaan varen en tuurde over de reling. Het water was bijzonder helder vandaag; het had al een week niet gestormd, zodat hij de riffen en de wuivende vegetatie kon zien, en ook dat de bodem steil naar beneden liep, waar het water donkerblauw was.

Met de kaap als oriëntatiepunt voeren ze een half-uur rond voordat ze het schip vonden. De achterste-ven was duidelijk te zien. De boeg lag dieper en werd in het donkerblauwe water aan het oog onttrokken.

'Dat is hem,' zei McGregor. De jongen die voorop aan dek stond, gooide het anker uit en telde de stre-pen op de ketting die in het water gleed.

'Hoe diep?'

'Zeventig.'

McGregor keek achterom naar Yeoman, die over de reling hing en door een buis met een glazen on-derkant in het water tuurde. Yeoman keek op.

'Dat is hem, mon.'

De motoren vielen stil. Yeoman trok zijn rubberen wetsuit aan. Met behulp van Sylvie hees hij de zwa-re dubbele zuurstoftank op zijn rug, haalde de slang van de regulator naar voren, trok het riempje om zijn nek strak, en zoog aan het mondstuk. Er klonk een luid gesis toen hij inademde.

McGregor kwam van de brug naar beneden en trok zijn duikpak aan.

Wayne voegde zich bij hen. 'Luister goed,' zei hij. Hij had een plattegrond van het schip bij zich. 'We zijn vooral geïnteresseerd in twee dingen. Allereerst het nieuwe beeld dat de eigenaar onlangs heeft ge-kocht en dat in Napels aan boord is gekomen, een modern object van chroom. Hij wil het bergen voor-dat het door het water wordt aangetast. Dat beeld moet hier zijn, in de grote hut.' Hij wees de locatie op de plattegrond aan.

McGregor knikte. 'Ik zal kijken.'

'Daarnaast gaat het om de kluis. Die staat achter in diezelfde hut. Maar dat is van later zorg.'

McGregor vroeg: 'Is het een grote kluis?'

'Nee, hij is tamelijk klein.'

'Wat zit erin?'

'Ik weet het niet,' zei Wayne. 'Maar mijn broer wil hem in elk geval terug.'

'Als het om juwelen gaat, kunnen we de kluis misschien openmaken en de inhoud eruit...'

'Nee, hij wil het hele ding hebben.'

'Goed,' zei McGregor. 'Dan kijken we daar later op de dag wel naar.'

Yeoman stapte al met onhandige passen naar de achtersteven, sissend ademhalend door de regulator, met zijn zwemvliezen klossend over het dek.

McGregor hees zijn dubbele zuurstoftank op zijn rug, voelde het zware gewicht aan zijn schouders hangen, ondanks het feit dat hij een rubberen wetsuit droeg. Hij klikte de riemen vast. Boven water waren de tanks ontzettend zwaar, eenmaal onder water veel minder.

Hij zoog de koude, droge lucht in zijn longen, ademde uit, en zette zijn duikmasker op. Daarna liep hij achter Yeoman aan.

Yeoman knikte, glimlachte met de regulator tussen zijn tanden, bracht zijn hand naar zijn masker en liet zich met een plons in het water glijden. McGregor wachtte even en keek naar de mensen die aan dek stonden toe te kijken – Sylvie, Monica en Wayne.

Sylvie keek over de reling. 'Hij is onder.'

Ze bedoelde dat Yeoman zo diep was dat McGregor niet boven op hem zou vallen als hij overboord ging. Iemand met een dubbele zuurstoftank van vijf-enveertig kilo op zijn rug en vijf kilo duikkleding aan, plus zijn eigen lichaamsgewicht, zonk meteen een heel eind als hij in het water sprong.

McGregor knikte, gaf Sylvie vanachter zijn duik-bril een knipoog, pakte de bril vast zodat het ding niet van zijn hoofd schoot als hij in het water plons-de, en liet zich achterover van boord vallen. Zijn tanks braken zijn val, en toen was hij in het water, in een werveling van zilverkleurige belletjes. Hij adem-de in, en het geluid van de zuurstof en de klikkende regulator klonken hard onder water.

Hij zwom naar beneden.

Recht voor hem zag hij de achtersteven van het schip in het water, met de boeg van hem afgekeerd, en de ankerketting die omlaag liep. Yeoman kwam vanuit de diepte omhoog, gebaarde met zijn handen – balde zijn vuist en ontspande die weer – om aan te geven dat hij de harpoenen zou ophalen. McGregor wachtte en bleef op zes meter diepte hangen, terwijl Yeoman naar de oppervlakte ging. Het leek van be-neden wel of de man onthoofd werd toen hij aan de oppervlakte kwam.

McGregor keek omlaag naar de blauwe watermas-sa onder zich. De *Grave Descend* lag recht onder hem, tegen de buitenkant van de riffen aan, die steil omlaag liepen, van vlak onder het water tot een diep-te van bijna dertig meter. Het jacht lag gekanteld, zo-als hij ook al vanuit de lucht had geconstateerd. Er kwamen geen luchtbellen meer uit het schip.

Hij keek nog eens goed. Een kleine school barra-cuda's kwam langs, en hij zag horsmakrelen, sergeant-majoorvissen en andere kleine soorten die bijna onmiddellijk bezit namen van scheepswrakken. Hij zag geen haaien.

Nog niet.

Yeoman kwam terug met twee harpoenen. Hij gaf er een aan McGregor, heel voorzichtig. Hij wees naar de handgreep, om aan te geven dat de veiligheidspal er nog op zat. McGregor knikte en wees omlaag naar het jacht.

Ze doken. Boven aan de oppervlakte was het water warm, maar naarmate ze dieper kwamen, werd het kouder. McGregor was blij dat hij een wetsuit aanhad. Met zijn vingers omklemde hij de geweergreep om te voelen hoe het gewicht verdeeld was.

Zijn dieptemeter gaf aan dat ze op tweeënzestig voet zwommen toen ze de achtersteven van de *Grave Descend* bereikten. Zoals altijd als hij bij een gezonken wrak kwam, werd hij overdonderd door de grootte ervan. Een schip van gemiddelde afmetingen leek onder water ineens ontzettend groot doordat je dan de volledige omvang zag. Yeoman zwom eromheen, met ontspannen beenbewegingen, zijn armen langs zijn zij. McGregor volgde hem, en samen verdwenen ze in de schaduwen van het schip. Voor hen zagen ze de anderhalf meter lange bronzen schroeven. Yeoman controleerde de schroefassen, terwijl McGregor de onderkant van de achtersteven bekeek.

Al na een paar minuten zag hij het gapende gat in de romp van het schip, in de buurt van de achtersteven. Het was een groot, rond gat dat kennelijk van binnenuit was ontstaan, want het metaal was naar buiten toe omgebogen. Heel voorzichtig raakte McGregor de rafelige rand aan; hij wist dat de huid van de mens onder water zeer kwetsbaar was, en hij wilde voorkomen dat hij zich zou snijden.

Het gat was meer dan een meter in doorsnee. Hij kon er gemakkelijk doorheen; hij stootte maar één keer met zijn metalen zuurstoftanks tegen de rand. In het schip was het donker. Hij deed zijn duiklamp aan en scheen met de gele lichtbundel in het rond.

De machinekamer. Links en rechts stonden twee grote dieselmotoren. Hij richtte de lamp op de wanden, op zoek naar sporen van schade, inslagen, roetvorming, tekenen dat er een ontploffing had plaatsgevonden...

Die waren er natuurlijk niet. Deze explosie was zorgvuldig voorbereid, en de kracht ervan was bijna volledig naar buiten gericht, dwars door de romp heen.

Yeoman dook naast hem op en maakte met gebaren duidelijk dat de schroeven geheel intact waren. McGregor gebaarde dat ze hun onderzoek naar andere delen van het schip moesten uitbreiden; Yeoman knikte. Ze zwommen de machinekamer uit, persten zich door een deuropening en kwamen in een gang met vloerbedekking. De hutten die op de gang uitkwamen, waren eenvoudig ingericht; metalen stapelbedden, lichtgewicht metalen kasten. Dit waren de hutten van de bemanning. Aan het eind van de gang bevond zich een smalle trap. Ze zwommen erlangs omhoog, gleden over de treden en kwamen op het dek. Daar bevonden zich de grote hutten en de gastenverblijven. De wanden en deuren waren er van gepolijst mahoniehout gemaakt.

McGregor herinnerde zich nog de plattegrond van het schip en zwom naar voren, naar de grote hut. Hij

deed de deur open en ging naar binnen. Zijn luchtbellen dwarrelden omhoog, kwamen tegen het plafond aan en gleden een voor een naar het open raam,
waar ze naar de oppervlakte schoten.

Hij scheen met de duiklamp in het rond. Het was
een elegante hut, die dezelfde luxe uitstraalde als de
rest van het jacht. Hij zocht naar het beeld.

Dat was nergens te bekennen.

Hij keek nog eens, liet de lichtbundel nu ook over
de grond gaan, voor het geval het ding op de grond
was beland.

Nergens zag hij een beeld van chroom.

Vreemd.

Hij zwom naar achteren, deed een kast open, en
trof daar de kluis aan. Het was geen grote, maar
bleek stevig aan de bodem van de kast vastgeschroefd. Hij rukte eraan en voelde toen onder de
kast aan de grote bouten.

Yeoman voegde zich bij hem en gebaarde dat hij
naar de brug ging. McGregor knikte en zwom achter
hem aan. Ze gingen naar het dek, en Yeoman gleed
soepel over de vloerbedekking, wapperend met zijn
benen.

Ze kwamen op het achterdek, deden hun lamp uit
en zwommen omhoog naar de brug. Daar bekeken
ze de kaarten die nog steeds op de plank lagen.

Toen hoorde McGregor het.

Even wist hij het niet zeker. Hij gebaarde naar Yeoman dat hij zijn adem moest inhouden. De twee mannen hingen geluidloos in het water en luisterden.

Ze hoorden een zacht maar onmiskenbaar gezoem.

Yeoman gebaarde dat het mogelijk een voorbijvarend schip was dat ze hoorden. McGregor schudde zijn hoofd, want buitenboordmotoren klonken heel anders, veel scherper, meer een ronkend geluid. Dit was een zoemend geluid, en het kwam van beneden.

Uit het gezonken jacht.

Hij zwom naar beneden en ging weer de gang in. Steeds wachtte hij even en hield zijn adem in tot het bubbelende geluid van de opstijgende luchtbellen was weggestorven.

Steeds hoorde hij het zoemende geluid. Hij bepaalde telkens waar het vandaan kwam en zwom die kant op.

Yeoman snapte wat hij van plan was en bleef bij de brug. Hoe minder mensen er binnen waren, waar de luchtbellen lawaai maakten, hoe beter.

McGregor kwam bij de smalle kombuis, zwom nog verder door en kwam in een of andere voorraadkamer terecht. Het was heel donker; de lamp wierp een smalle vale lichtbundel vooruit.

In dit vertrek was het zoemende geluid heel goed te horen. Hij scheen met de lamp om zich heen. Reddingsboeien dreven tegen het plafond, en er lagen roeispanen, stukken zeildoek, ingeblikte etenswaren en andere voedselvoorraden door elkaar op de grond.

Het gezoem hield aan.

Fronsend liet hij de lichtbundel rondgaan. Toen het schijnsel ergens door weerkaatst werd, zwom hij ernaartoe om te kijken wat het was.

Het was een metalen doos, zorgvuldig afgesloten, waterproof, aan de vloer vastgemaakt. Daar kwam het zoemende geluid vandaan. Er staken twee draden uit, die naar een vormeloos pakje bleken te lopen dat met verschillende lagen plastic was omwikkeld.

McGregor keek er verbijsterd naar. Hij wist wat het was: tetralon, het nieuwste onderwaterexplosief. Er lag hier minstens twintig tot vijfentwintig kilo. En de kleine zoemende doos was een op afstand bestuurbare detonator.

Zijn eerste gedachte was dat de lading misschien had moeten ontploffen, samen met de explosieven achter in het schip. Maar toen kwam er een ander idee bij hem op. Hij zwom terug naar Yeoman en gebaarde dat ze naar de oppervlakte moesten gaan.

De lunch was eenvoudig: broodjes en frisdrank. Wayne leek in een buitengewoon vrolijke stemming, althans tot McGregor vertelde dat hij het beeld niet had kunnen vinden.

'Wát?' riep Wayne gepikeerd uit.

'Echt nergens te bekennen. Ook niet in de grote hut.'

'Maar hij moet daar zijn.'

McGregor haalde zijn schouders op. 'Wilt u daar zelf gaan kijken?'

'Nee, daar heb ik u voor ingehuurd. En ik verwacht van u dat u doet waarvoor ik u betaal. Ik wil dat beeld.'

'Dat beeld is er niet,' zei McGregor nog eens.

'Onmogelijk. U moet terug om beter te zoeken. Overal. Misschien is het ding door de klap van de explosie weggeslingerd of ligt het in een andere hut. Zoek dat ding en haal het naar boven.'

McGregor vroeg: 'Wat is er zo bijzonder aan dat beeld?'

Wayne zei: 'Zoeken.'

McGregor wachtte tot het gesprek een andere wending zou nemen. Hij verwachtte dat Wayne wilde weten hoe de boot was gezonken, in welke conditie hij was, hoe makkelijk het was om het schip te bergen. Maar dergelijke vragen bleven achterwege. Kennelijk was Wayne niet meer geïnteresseerd in dat soort kwesties.

McGregor begon zich af te vragen of het jacht was afgezonken opdat hij kon worden ingehuurd om het beeld naar de oppervlakte te brengen. Dat klonk absurd, maar het hele gedoe klonk absurd.

Uiteindelijk zei Wayne: 'En de kluis?'

'Die hebben we gevonden. In een kast vastgeschroefd.'

Wayne vroeg: 'Hoe groot is hij?'

'In het water valt het nog wel mee. Roger en ik kunnen dat ding wel zonder kabels omhoogkrijgen. Maar als we dat ding eenmaal aan de oppervlakte hebben...'

'Dan ontfermt de bemanning zich er wel over,' zei Wayne. 'Dan verzinnen we wel wat om het ding aan boord te hijsen. Ik wil dat die kluis vanmiddag nog naar boven wordt gehaald.'

'Dat zal wel wat tijd kosten.'

'Als jullie dat ding maar naar boven krijgen,' zei Wayne.

De kluis was dus ook belangrijk.

Vlak voor de volgende duik zonderde hij zich af met Yeoman en Sylvie, zogenaamd om de ankerketting te inspecteren.

Yeoman zei: 'Waar kwam dat gezoem vandaan?'

'In het vooronder ligt vijfentwintig kilo tetralon, klaar om het schip op te blazen.'

Yeoman floot.

McGregor richtte zich tot Sylvie. 'Het zou een makkelijke manier zijn om van ons af te komen,' zei hij. 'De schokgolf zouden we nooit overleven, en de boeg zou in tweeën splijten. Niemand zou nog kunnen achterhalen hoe dat heeft kunnen gebeuren.' Hij grijnsde grimmig. 'Vooral niet als er hamerhaaien op afkomen.'

Sylvie zei: 'Jullie moeten dat niet doen.'

McGregor schudde zijn hoofd. 'Het is niet erg. Dat pakketje kan alleen van afstand tot ontploffing worden gebracht. Als we weer gaan duiken, maken we het ding onklaar.'

'En wat moet ik doen terwijl jullie daar in de diepte rondzwemmen?'

'Een beetje lachen en mooi zitten zijn,' zei McGregor.

Het kostte McGregor en Yeoman veertig minuten om de kluis los te schroeven. Ook zochten ze in de hutten naar het beeld, maar dat leverde niets op. Voordat ze naar de oppervlakte gingen, verbond McGregor de draden weer met de explosieven. Daarna hielp hij Yeoman de kluis naar boven te krijgen, waar de anderen klaarstonden met een provisorisch versterkt net.

Wayne toonde zich ontstemd over het feit dat ze het beeld niet hadden kunnen vinden, maar hij was duidelijk verheugd over de kluis. Toen het ding eenmaal aan boord was gehesen, veegde hij het droog met een doek en draaide aan het slot. Even dacht McGregor dat Wayne de kluis in het bijzijn van iedereen zou openmaken, maar dat bleek niet het geval. Hij kwam overeind en zei: 'Het slot doet het nog,' waarna hij wegliep.

Ze keerden terug naar Ocho. Monica kwam naar McGregor toe en vroeg: 'Heb je nog haaien gezien?'

'Nee. Geluk gehad.' Grote kans dat er morgen wel een paar zouden zijn.

Op dat moment klonk er het rommelend geluid van opborrelend water. McGregor keek achterom en zag een kolkende watermassa. Het was duidelijk wat dat betekende: de explosieven waren tot ontploffing gebracht.

Hij tuurde in de richting van Silverstone en kon nog net een man ontwaren die weer het huis in ging.

Wayne kwam haastig aan dek. 'Wat was dat?'

'Er is iets met het jacht gebeurd,' zei McGregor. 'Misschien is het van zijn plaats gekomen...'

'We moeten terug om te gaan kijken. Dat móét gewoon.'

Op Waynes bevel keerden ze weer om, en hij stond erop dat ze met duikbril en snorkel poolshoogte gingen nemen. Het zicht onder water was nu hooguit anderhalve meter; door de explosie was de zanderige bodem omgewoeld.

Het jacht, zag hij, was nu nog erger beschadigd. Het was bijna niet meer te herkennen.

Hij zwom naar de oppervlakte en keek omhoog naar Wayne. 'Er is iets ontploft,' zei hij.

'Hoe is de boot eraan toe? Valt de schade mee?'

'Moeilijk te zeggen, omdat het zicht zo slecht is. Maar het ziet er niet al te best uit.'

'Wat moeten we dan doen?'

'Morgen weer kijken. Dan ziet het er weer heel anders uit.'

McGregor vroeg zich af hoeveel zaken er morgen nog meer heel anders zouden uitzien.

Wayne bracht het beeld niet meer ter sprake, en toen ze de haven bereikten, tilde hij de kluis in de laadbak van de pick-up van McGregor. Daarna reed hij met McGregor mee naar het hotel. De anderen gingen alvast vooruit.

McGregor zat ontspannen achter het stuur en dronk een biertje. Het was laat in de middag, de gele zon was nog warm. Hij voelde het opgedroogde zout op zijn huid, en een tevreden loomheid maakte zich van hem meester, een bekend gevoel nadat hij gedoken had.

Hij had zijn hoofd er niet goed bij toen hij de vrachtwagen met groente naderde die tergend langzaam reed, links, zoals op Jamaica gebruikelijk is. McGregor haalde de wagen in.

Wat er toen gebeurde, gebeurde in een oogwenk, geraffineerd en professioneel. Een zwarte personenauto kwam uit een zijweg tevoorschijn en versperde de doorgang. McGregor trapte vol op de rem. Vier mannen met nylon kousen over hun hoofd stapten snel uit, ieder van hen met een zwart machinepistool in de hand.

McGregor keek in het achteruitkijkspiegeltje en zette de pick-up in z'n achteruit, maar hij was niet snel genoeg. Een tweede auto had hem al van achteren klemgezet.

Een man kwam achter de vrachtwagen tevoorschijn en richtte zijn pistool op McGregor. 'Uitstappen,' zei hij.

McGregor deed wat de man zei. Wayne volgde zijn

voorbeeld, met een blik van ontzetting in zijn ogen. Hij fluisterde tegen McGregor: 'We kunnen dit niet laten gebeuren.'

'Stil,' zei McGregor, die het machinepistool goed in de gaten hield.

De man die hem onder schot hield, glimlachte flauwtjes. 'Ga daar in de berm liggen, op je buik, handen achter op je kop.'

Twee anderen hadden de laadklep van McGregors pick-up laten zakken en waren bezig de kluis uit de wagen te halen.

'Op je buik,' zei de man. 'Opschieten.'

McGregor en Wayne gingen liggen. Ze hoorden de mannen kreunen toen ze de kluis optilden en het ding naar hun auto zeulden.

Wayne zei niets. McGregor was overdonderd door de complexiteit van het spel dat gespeeld werd. Een schip werd tot zinken gebracht, nota bene een dag nadat het zou zijn gezonken, er waren bedreigingen geuit, er waren manoeuvres uitgevoerd, en nu werd er een duidelijk van tevoren geplande overval uitgevoerd om de kluis in handen te krijgen. Kennelijk maakte Wayne deel uit van een groep. Klaarblijkelijk stond de uitkomst al vanaf het begin vast.

Hier werd voor de ogen van McGregor een show opgevoerd. Maar wat moest hij ervan denken?

Hij keek opzij en zag dat een paar mannen instapten en de portieren dichtsloegen. De eerste auto reed weg. De anderen liepen naar de tweede auto toe.

Snel kwam Wayne overeind en rende naar de achtergebleven auto. Hij riep: 'Stop!' en daarna nog iets, tot een van de mannen in koelen bloede uithaalde met het machinepistool. Het wapen trof hem vol in de buik, vervolgens kreeg hij met de loop van het wapen een dreun op zijn hoofd. Wayne zakte in elkaar, en de auto reed weg.

Toen het voertuig uit het zicht verdwenen was, liep McGregor naar Wayne toe. Als dit allemaal in scène was gezet, was het zonder meer overtuigend gedaan: Wayne had een enorme jaap achter zijn linkeroor en was buiten bewustzijn.

Buitengewoon overtuigend. Té overtuigend, vond hij. Hij tilde Wayne op en legde hem voorzichtig in zijn pick-up.

Arthur Wayne kwam in de kliniek weer bij kennis, toen de artsen zijn hoofdwond hechtten. Zijn eerste woorden waren: 'Hebben ze hem te pakken gekregen? Hebben ze hem meegenomen?'

'Niet praten,' zei de dokter. 'Later.'

'Hebben ze hem meegenomen?'

'Ja,' zei McGregor. 'Ze hebben hem meegenomen.'

Wayne kreunde. 'Dan is alles voor niets geweest.'

'Niet bewegen,' zei de arts. 'We proberen u te helpen.'

'Alles voor niets geweest,' jammerde Wayne. Nadat ze hem een spuit hadden gegeven, kwam hij tot bedaren.

McGregor ging naar buiten. Het werd al donker. Yeoman stond met Sylvie op hem te wachten.

'Wat is er gebeurd?'

'Iemand heeft de kluis gejat. Heel efficiënt allemaal. Minstens acht man, met machinepistolen.'

Yeoman schudde zijn hoofd. 'Professioneel.'

'Absoluut. Wayne probeerde ze nog tegen te houden. Zijn hoofdwond wordt nu gehecht.'

Yeoman keek hem fronsend aan. 'Dat is niet professioneel,' zei hij.

'Wat bedoel je?'

'Professionals zouden hem vermoord hebben.'

'Maar het was niet in scène gezet,' zei McGregor. 'Dat kan haast niet. Zijn hoofd lag helemaal open.'

'Misschien was dat een foutje.'

'Dat ze hem niet zo hard hadden moeten aanpakken, bedoel je? Als dat zo is, hebben ze een grote fout gemaakt. Want nu moet er aangifte worden gedaan.'

'We kunnen dat nagaan,' zei Yeoman. 'Acht machinepistolen is makkelijk. En trouwens: nog even over de *Grave Descend* en de douane...'

'Ja?'

'Dat schip is niet door de douane gekomen. Nergens. Niet in Montego, en ook niet in Ocho. De douanemedewerkers hadden het schip wel verwacht. Ze wisten ervan af, maar ze geven de kapiteins altijd achtenveertig uur de tijd om zich te melden.'

'Wat zeggen ze er nu van bij de douane?'

Yeoman schudde zijn hoofd. 'Je komt in de problemen. Je hebt naar een schip gedoken dat niet...'

Op dat moment kwam er een politieauto met zwaailicht aan. Een kwieke man met een lichte huidskleur stapte uit. 'James McGregor?'

'Ja?' zei McGregor.

'Ik ben inspecteur Burnham. We zouden u graag even willen spreken.'

'Waarover?'

Burnham hield het portier van zijn wagen uitnodigend open. 'Als u zo vriendelijk wilt zijn...'

McGregor zei: 'Ik weet niet of...'

'Wij weten het wel,' zei Burnham. 'Instappen. Alstublieft.'

McGregor stapte in, waarna ze wegreden, Yeoman
en Sylvie in de zwoele Jamaicaanse avond achterla-
tend.

DEEL 2

DONKER MOERAS

Als je aan boord van een schip bent, is het net of je in de gevangenis zit, met de kans dat je verdrinkt.

— SAMUEL JOHNSON

9

Inspecteur Burnham had een klein kantoor met een goedkoop bureau, een gammele stoel, een kleine bureaulamp, en een opdringerige bromvlieg die hen tijdens het gesprek steeds lastigviel.

Inspecteur Burnham kwam vers van de politieacademie in Kingston en ging zeer grondig en gewetensvol te werk. Voordat hij aan zijn vragen begon, besteedde hij een halfuur aan het invullen van diverse formulieren. Hij vroeg McGregor om bij het begin te beginnen, en dat deed McGregor. Hij vertelde van zijn ontmoeting met Wayne in de Plantation Inn. Zo nu en dan onderbrak Burnham hem en stelde een vraag.

'Wie is de eigenaar van de *Grave Descend*?'

'Een zekere Robert Wayne. Pittsburgh, Pennsylvania.'

'Dat zullen we natrekken,' zei Burnham, terwijl hij notities maakte. 'Gaat u verder.'

Even later onderbrak Burnham hem weer.

'Wat voor kunstwerk was het precies?'

'Dat weet ik niet, alleen dat ze het in Napels aan boord hebben genomen. En dat het een modern beeld was, en zwaar.'

'Napels?'

'Dat was de laatste haven die ze aandeden voordat ze naar West Palm gingen.'

'Dus het betreft een Italiaans beeld?'

'Dat neem ik aan, maar ik weet het niet.'

'Hoe groot is het beeld?'

'Dat zou u aan Wayne moeten vragen. Ik heb het beeld nooit gezien.'

'Hebt u het niet gevonden toen u naar het wrak dook?'

'Nee.'

'Dat kan ik nauwelijks geloven.'

McGregor haalde zijn schouders op. 'Gaat u zelf maar kijken.'

Burnham glimlachte flauwtjes. 'Dat lijkt me geen goed idee.' Hij zweeg even en stak een sigaret op. 'Hoe is uw kennis van de Italiaanse geschiedenis?'

'Ik heb wel eens van Garibaldi gehoord.'

'De meer recente geschiedenis,' zei Burnham.

'Mussolini? Daar heb ik ook wel eens van gehoord.'

'Wat hebt u dan gehoord?'

'Dat hij van Italië een politiestaat maakte,' zei Mc-Gregor.

Burnham produceerde een klakkend geluid. 'U moet niet van die vervelende dingen zeggen.'

'Stelt u uw vragen nu maar.'

'Ik ben benieuwd of u ooit van Trevo hebt gehoord.'

'Nee.'

'Dat is een plaats op Sicilië.'

McGregor schudde zijn hoofd. 'Zegt me niets.'

'Daar heeft destijds een veldslag plaatsgevonden. In de Tweede Wereldoorlog. Een tamelijk groot detachement Duitsers is daar door Italiaanse partizanen in de pan gehakt. Er zijn toen heftige represailles genomen.'

'En?'

Burnham haalde zijn schouders op. 'Ik vroeg me alleen af of u daar ooit van gehoord had.'

'Nee,' zei McGregor. 'Als u verder geen vragen meer hebt...'

'Ik ben nog niet helemaal klaar,' zei Burnham. 'U bent namelijk een lastig persoon voor ons. U hebt artikel 423 van de Jamaicaanse Maritieme Code geschonden, betreffende het bergen van vaartuigen die niet door de douane zijn gegaan. Die regel is nooit eerder geschonden, omdat de politie tot nu toe altijd in staat is geweest om te voorkomen wat u nu gelukt is, namelijk het betreden van een gezonken vaartuig en het toe-eigenen van artikelen op een onwettige manier.'

'Wat vervelend,' zei McGregor. 'Wat gaat u daartegen doen?'

'Niets,' zei Burnham. 'Althans: voorlopig niets. Misschien dat we later iets...'

'Iets bedenken?'

'Inderdaad. Misschien dat we later iets bedenken.'

'Ik zal ernaar uitkijken,' zei McGregor. 'Ondertussen wilt u misschien een verklaring van de heer Wayne afnemen, want die heeft een paar rake klappen gehad tijdens de berging van de kluis. Dat is misschien een leuk aanknopingspunt voor u...'

De telefoon ging. Burnham nam op en voerde een kort gesprek, waarbij zijn gezicht steeds meer betrok. Toen hij ophing, zei hij: 'Het blijkt dat de heer Wayne geen verklaring wil afleggen. De agent die hem verhoorde, zegt dat de man niets afweet van welke diefstal dan ook, en dat zijn hoofdwond het gevolg van een ongelukje was. Hij zegt dat hij is gevallen toen hij bij u in de pick-up stapte.'

'Interessant.'

'Hij beweert ook dat er geen kluis van het gezonken schip is gehaald, noch welk ander artikel dan ook.'

'En dat gelooft u?' vroeg McGregor.

'We schorten ons oordeel op.'

'Hebt u dat soort zinnetjes op de academie in Kingston geleerd?'

'Daar heb ik geleerd dat we altijd voorzichtig te werk moeten gaan,' zei Burnham. 'En dat geduld een schone zaak is.'

McGregor stond op. 'Nou, veel succes met het geduld,' zei hij.

Burnham keek hem aan. 'U mag Ocho niet uit zonder ons daarvan op de hoogte te stellen,' zei hij. 'En u mag Jamaica niet verlaten.'

'Dat was ik ook niet van plan.'

'Vast niet,' zei Burnham op vlakke toon. Toen McGregor aanstalten maakte weg te gaan, zei hij: 'Nog één ding.'

'Ja?'

'Misschien kunt u het beeld gaan zoeken, meneer McGregor.'

'Zou dat wat uitmaken?'

'Zeker,' zei Burnham knikkend. 'Anders moeten we wellicht concluderen dat u het gestolen hebt.'

McGregor liep het kantoor uit. Zo gauw hij buiten kwam, hoorde hij gegrom. Een zwaar, dreigend geluid dat hem desalniettemin bekend voorkwam.

Hij keek opzij en zag Fido.

Achter Fido stond Elaine, die de ocelot aan de lijn hield. Ze had haar metalige rok verruild voor een rok die bestond uit plastic ringen die in elkaar haakten.

'Ben je de ocelot aan het uitlaten?' vroeg McGregor.

'Ja,' zei ze.

Hij liep een eindje met haar op. Later zou hij wel een taxi nemen, de stad in. Elaine zei: 'Was dat niet het politiebureau waar je net uit kwam?'

'Zeker.'

'Wat moest je daar?'

'Men heeft mij een paar vriendelijke vragen gesteld.'

'Waarover?' vroeg ze.

Hij wilde net antwoord geven, toen alles om hem heen zwart en koud werd en hij in elkaar zakte.

Hij was rustig en heerlijk ontspannen. Niets zat hem dwars. Hij was zich vaag bewust van gierende banden en een brullende motor op een bergweg. Daarna drong er een frisse, koele geur van de bergen tot hem door. En vervolgens knepen ze weer in zijn arm.

Daarna werd hij een jengelend geluid gewaar, alsof er bomen werden omgezaagd. Hij nam een andere beweging waar en hoorde het geklots van water. Hij rook benzine en uitlaatgassen.

Dat was vast een boot.

Weer werd er in zijn arm geknepen, en hij rook de koele geur van alcohol. Hij begon zich zorgen te maken, wilde zijn ogen openen om te zien wat er aan de hand was.

Maar toen ontspande hij zich weer.

Een lichte beweging, knarsende en kabbelende geluiden – een ritmisch klikkend geluid, en ook een ritmisch schurend geluid. Hij wist bijna zeker, zonder zijn ogen open te doen, dat hij in een roeiboot was. Het rook er vies: de vochtige stank van verrotting.

Hij ontspande zich.

Toen voelde hij iets hards tegen zijn nek en zijn benen. Hij lag niet lekker en draaide zich om. Met zijn wang kwam hij tegen ruw hout aan. De stank was er nog steeds, zelfs sterker.

Hij verschoof weer, probeerde een betere houding te vinden en viel weer in slaap.

Hij was doodop.

Het was donker toen hij wakker werd. Hij hoorde een vreemd klapperend geluid, en al snel bleek dat afkomstig van zijn eigen tanden. Hij had het koud en lag te rillen. Hij ging rechtop zitten, wreef over zijn armen en voelde dat het fris was.

Hij keek om zich heen.

Hij zat op een ruwhouten bed in een kleine hut. Er hing een doordringende, vochtige geur van verrotting. Hij keek om zich heen en zag een sputterend kaarsje, waarvan het vlammetje flakkerde en uitging.

Door een raampje waar ooit glas in gezeten had maar dat nu was versplinterd, waaide een kille wind naar binnen. Buiten hoorde hij vogels kwetteren, en het geruis van de wind in de bomen.

En hij rook nog steeds die stank.

Hij wreef over zijn hoofd; hij had een knallende koppijn. Ook zijn elleboog deed zeer. Zijn mouw was opgerold. Hij bekeek zijn arm in het donker en ontwaarde drie rode puntjes.

Speldenprikken.

Met een bonzend hoofd stond hij op en stommelde naar het raam. Buiten zag hij een dichtbegroeide jungle, overwoekerd, met om het hutje allemaal modder.

Hij snoof de geur op en zag dat de grond dampte. En toen, ineens, wist hij waar hij was. De Pit.

De Pit was de lokale benaming voor een uitgestrekt moerasgebied in het zuidwesten van Jamaica, met een doorsnee van vijfendertig kilometer, een natuurreservaat dat vooral bekendstond als jachtgebied. Vanuit Kingston werden er toeristen naartoe gebracht, die dan 's avonds op de hoofdattractie mochten jagen: krokodillen.

McGregor liep naar de deur, die vermolmd was en half was weggerot. Hij trok de deur open en ging naar buiten.

De Jamaicaanse krokodil was een aparte soort die alleen in de Pit voorkwam. De beesten werden meestal niet lang – hooguit zo'n anderhalve meter – maar waren berucht om hun agressie. Ook de kleine krokodillen waren gevreesd, en onder de plaatselijke bevolking waren er heel wat mensen te vinden die mank liepen als gevolg van een aanval van een krokodil.

De Pit. Hij zuchtte.

Er deden verhalen de ronde dat piraten hier schatten begraven hadden. Kapitein Morgan zou goud in het moeras hebben verstopt, dat hij vanuit Port Royal, de voorganger van het moderne Kingston, per sloep zou hebben aangevoerd. Er zouden miljoenen aan goudstaven in dit moerasgebied te vinden zijn. Ook vertelde men dat hier geesten rondzwierven, van mannen die waren verdwaald en gedoemd waren hier voor altijd rond te dolen.

McGregor geloofde niet in geesten, maar hij wist dat je hier gemakkelijk kon verdwalen. Vooral 's nachts, als je alleen het vale schijnsel van de maan had, was dat gevaar groot. En met al die krokodillen hier...

Hij leunde tegen het hutje.

Hij zou moeten wachten tot de zon opkwam. Als hij vannacht nog wegging, maakte hij geen schijn van kans. Hij zat ongetwijfeld diep in het moerasgebied;

hij herinnerde zich vaag dat hij eerst per auto vervoerd was, daarna per motorboot, en vervolgens per sloep.

Hij zou wel gek zijn om op pad te gaan voordat de zon op was.

Hij liep weer naar binnen en ging zitten, nog steeds klappertandend. Hij voelde zich ontzettend beroerd. Hij had een knallende hoofdpijn, hij had het koud, hij had honger. Hij keek om zich heen om te zien of er iets eetbaars was. In een hoek lag een verfrommelde papieren zak. Voorzichtig deed hij die open, nieuwsgierig.

En trof een kompas aan. Glimmend, nieuw.

Een kompas.

Iemand had aan hem gedacht. Het was duidelijk de bedoeling dat hij tot de volgende dag zou wachten en dan met behulp van het kompas een weg uit het moeras zou vinden. Dat werd hij geacht te doen. Dat was wat elk weldenkend mens zou doen. Hij besloot niet langer een weldenkend mens te zijn.

De eerste kilometers waren zwaar. Hij struikelde steeds over lage takken en boomwortels. Zijn voeten waren gevoelloos en koud, en de modder koekte aan zijn schoenen. Er stond een koude, fluitende wind. Op een gegeven moment viel hij languit in de modder en raakte hij het kompas kwijt. Het kostte hem tien angstige minuten voordat hij het ding tussen de plantenstengels en boomwortels terugvond. De glazen afdekplaat zat onder de modder en het slijk.

Hij veegde het aan zijn shirt af en vervolgde zijn tocht.

Hij had ervoor gekozen naar het zuidoosten te lopen, in de veronderstelling dat je vanuit de meeste plaatsen het snelst uit het moeras kwam als je die kant op ging. Het was ook de veiligste route, want in het noorden waren hoge bergen, en in het westen lag de zee.

Hij schatte de afstand die hij aflegde aan de hand van de tijd. Op vlak terrein haalde je met gemak vijf tot zes kilometer per uur. In het moeras dacht hij dat hij zo'n anderhalve kilometer per uur opschoot. Het was middernacht geweest toen hij op pad ging, de zon kwam om zes uur op, en daarna zou hij sneller kunnen. Hij zou hoe dan ook een paar uur vroeger terug zijn dan ze verwachtten.

En dat was belangrijk. Want aangenomen dat hij niet een dag was kwijtgeraakt en het nog steeds woensdag was, woensdagnacht, zouden op donderdag Wayne, Monica Grant en waarschijnlijk nog een aantal mensen het eiland verlaten.

Daar wilde hij bij zijn. Hij had namelijk, zo dacht hij grimmig, nog een paar vraagjes voor ze.

Hij liep nog twee uur door en begon alle gevoel voor tijd en richting te verliezen. De tijd werd teruggebracht tot de beweging die de wijzers van zijn horloge maakten, en richting werd bepaald door de bewegingen die de kompasnaald maakte. Het waren betekenisloze abstracties in een wereld vol modder en krijsende vogels en stank en kou en nattigheid.

Hij zette door. Hij was moe, alles deed hem pijn, en hij had het koud, maar hij zette door. Hij kwam bij smalle riviertjes en waadde erdoorheen, waarbij hij eerst bleef luisteren of hij krokodillen hoorde. 's Nachts maakten ze een vreemd, ritmisch, zwiepend geluid als ze door het water gleden.

Bij de eerste riviertjes die hij overstak, keek hij nog goed uit. Later deed hij minder voorzichtig en bleef hij nauwelijks nog staan voordat hij het water in ging. Alle leven in de jungle leek zich boven zijn hoofd af te spelen. Vogels vlogen van tak tot tak, apen krijsten, en groene hagedissen schoten weg. Maar de moddergrond leek geen leven van betekenis te herbergen.

Om drie uur, in het holst van de nacht, stond hij tot aan zijn middel in een stroompje en was hij halverwege toen het tot hem doordrong dat hij een fout had gemaakt. Aan de overkant zag hij het gebladerte bewegen, en hij hoorde een slepend, schrapend geluid, gevolgd door een zware plons.

En nog drie, vlak achter elkaar.

McGregor schrok, draaide zich om en probeerde zo snel mogelijk terug te komen. De modderige rivierbodem zoog aan zijn voeten en vertraagde zijn voortgang. Hij keek achterom en zag de oppervlakte van de rivier kolken en draaien.

Hij waadde als een gek door het water.

Het leek een eeuwigheid te duren voordat hij de oever bereikte, en net toen hij uit het water stapte, voelde hij sterke kaken die zich om zijn linkerenkel sloten. Een pijnscheut vlamde door zijn been omhoog.

Hij trok zijn been op de oever, hinkelend, en viel op zijn knieën. De kaken lieten niet los, maar het beest was verbazingwekkend licht. Hij zag een kleine krokodil die niet groter was dan zo'n vijftig centimeter, met een glinsterend lijf vol schubben.

Hij kwam overeind en sleepte zich voort, terug de jungle in. Hij bracht zijn armen naar achteren en probeerde het beest bij zijn staart te pakken, maar kreeg geen houvast. Hij deed nog een poging. De krokodil was bijzonder sterk en liet niet los. McGregor kreeg nu wel greep, en op een gegeven moment liet het beest los en draaide zijn kop om naar de hand die hem belaagde.

McGregor gooide het beest ogenblikkelijk weg; de krokodil buitelde door de lucht en kwam met een klap in het water terecht.

Hij hoorde een grommend geluid. Een andere krokodil was uit het water gekropen en sperde zijn bek open. In het schemerige licht kon McGregor net de contouren ontwaren; het was een enorm beest.

McGregor ging er als een haas vandoor. Zijn enkel deed pijn en bloedde. Hij hoorde de krokodil door het kreupelhout achter hem aan komen. Hij rende voor zijn leven, liet het kompas uit zijn handen vallen, en hoorde dat het beest hem bleef achtervolgen. Hij wist dat een krokodil verbazingwekkend snel kon rennen als hij daar zin in had.

En deze had er ontegenzeglijk zin in.

Het klamme zweet brak hem uit; hij bleef zijn achtervolger horen.

En toen hoorde hij een ander geluid, in de verte, rechts van hem.

Het was het toeteren van een auto.

12

Hij voelde zich een ontzettende sul toen hij in een
boom was geklommen om de omgeving te ver-
kennen. Hij had verwacht een weg te zien, althans:
daar had hij op gehoopt.

In plaats daarvan zag hij een compleet dorp.

Morstown. Die plaats kende hij wel. Het was een
klein samenraapsel van inheemse hutten, diep in de
jungle. Hier begonnen de toeristische krokodillensa-
fari's.

Morstown.

Hij wachtte even tot hij weer op adem was gekomen, klom toen voorzichtig naar beneden en liep de
paar honderd meter naar het plaatsje.

De eerste man die hij tegenkwam, keek hem verschrikt aan en ging er toen vandoor. De tweede ook.
Hij liep het door elektrische lampen verlichte plein
op, waar een barretje was waar mannen uit het
plaatsje bij elkaar kwamen om te drinken.

Toen McGregor binnenkwam, staarden ze hem allemaal met open mond aan. Hij bracht zijn hand
naar zijn heup en voelde dat hij zijn portemonnee
nog steeds bij zich had. Toen keek hij omlaag naar
hoe hij eruitzag en snapte waarom ze hem zo zaten
aan te gapen: zijn kleren waren gescheurd en zaten
onder de modder.

Hij haalde zijn portemonnee tevoorschijn, viste er
een dollarbiljet uit, dat kletsnat was van het rivier-
water, maar toch nog heel.

'Whisky,' zei hij.

'Rum,' zei de barman, die hem een fles zonder etiket aanreikte.

McGregor nam een flinke slok. Het was ontzettend sterk spul, zelfgebrouwen. Hitte zakte naar zijn maag, en zijn ogen begonnen ervan te tranen.

De stamgasten in de kroeg zaten nog steeds verbijsterd naar hem te kijken.

McGregor haalde twee briefjes van tien dollar tevoorschijn, kneep het water eruit en legde ze op de toog.

'Wie brengt me naar Ocho Rios?'

Niemand verroerde zich. Iedereen bleef hem aanstaren.

Hij legde er een biljet van twintig bij.

'Wie brengt me naar Ocho Rios?'

Deze keer waren er wel mensen die zich aanboden.

De chauffeur sprak kennelijk Engels, maar McGregor verstond geen woord van wat hij zei. De man praatte honderduit, en McGregor bromde en knikte steeds maar als hij dacht dat dat de juiste respons was; het zangerige, snel gesproken dialect dat hier in het moeras gebezigd werd, was onverstaanbaar.

Op verschillende momenten tijdens de reis begon de auto te rochelen en te trillen en was McGregor bang dat de motor het zou begeven, maar 's ochtends tegen zevenen bereikten ze de smetteloze gevel van de Plantation Inn. Een medewerker was het terras aan het schoonspuiten toen McGregor, die onder de opgedroogde, aangekoekte modder zat, de chauffeur betaalde en de hal van het hotel betrad. De modder viel in kluiten van hem af.

De receptionist keek hem met open mond aan. McGregor vroeg om zijn sleutel, en de man gaf die, nog steeds met stomheid geslagen.

Hij nam de lift naar zijn kamer, deed de deur open, schopte zijn schoenen uit en werd zich plotseling bewust van de pijn in zijn linkerenkel, die paars bleek te zijn geworden en onder de gescheurde sok was opgezwollen.

Hij pakte de telefoon. 'Met de receptie,' zei een stem.

'Kunt u een dokter laten komen?' vroeg McGregor.

'Meneer?'

'Ik ben gebeten.'

'Juist. Wat is er aan de hand, meneer?'

'Ik ben gebeten. Mijn been.'

Er viel een lange stilte; de man aan de andere kant van de lijn leek hem niet te geloven. 'U bent gebeten, meneer? Waardoor?'

'Door een krokodil, verdomme.'

'Maar er zijn helemaal geen krokodillen in de Plantation Inn, meneer. Kan het misschien een hond zijn geweest?'

'Bel een dokter,' zei McGregor, en met die woorden hing hij op.

Hij ging naar de badkamer om de modder van zich af te spoelen. Halverwege bedacht hij zich en liep terug naar de telefoon.

'Met de receptie.'

'Roomservice, graag.'

Na een ogenblik zei een vrouwenstem: 'Roomservice, goedemorgen.'

'Goedemorgen,' zei McGregor. Hij keek naar buiten en zag dat er wolken aan de horizon dreven, met vlak daarboven de vroege ochtendzon. 'Zou u zo vriendelijk willen zijn een ontbijt voor kamer 420 klaar te maken? Roerei van tien eieren, dikke plak ham, sinaasappelsap, toast en koffie. En vier rum collins.'

'Het spijt me,' zei de vrouw. 'De bar is pas geopend om...'

'Gooi die bar maar open,' zei McGregor. 'Dit is een medisch spoedgeval.'

Toen de vrouw hem had verzekerd dat ze haar best zou doen, ging McGregor terug naar de badkamer, deed het licht aan, en bleef verbijsterd staan.

In de badkamer was het één grote puinhoop.

De hele vloer lag bezaaid met scherven.

Hij raapte er een op. Het was een zwaar stukje metaal, gebogen chroom, glimmend aan de buitenkant. Hij keek naar de andere brokstukken en kon wel raden wat het was.

Het beeld.

'Interessant,' zei hij.

Er werd op de deur geklopt. Dat zou de roomservice zijn, of de dokter. Hij deed open.

'Goedemorgen,' zei inspecteur Burnham opgewekt. 'Mag ik even binnenkomen?'

McGregor ging niet aan de kant. 'Nee,' zei hij.

'Is daar ook een reden voor?' vroeg Burnham. 'U zit trouwens onder de modder.'

'Dat is waar.'

'Ik zou graag willen weten hoe dat komt.'

'Dat zou u vast wel graag willen weten,' zei McGregor.

'Mag ik even binnenkomen?' vroeg Burnham weer.

'Nee,' zei McGregor. 'Alleen met een huiszoekingsbevel.'

'Een huiszoekingsbevel,' zei Burnham met een glimlach. 'Zo doen we dat hier niet.'

Hij glipte langs McGregor de kamer in. McGregor was doodop, en zijn voet deed weer zeer. Hij keek lijdzaam toe terwijl Burnham zijn blik door de kamer liet gaan.

'Niet onaardig,' zei Burnham. 'Hoeveel betaalt u hier nu voor?'

'Niets. Wayne betaalt alles.'

'Ah, ja. Wayne. De ongrijpbare meneer Wayne.'

Burnham liep naar het balkon, wierp een blik op de tennisbaan en draaide zich om. Hij keek naar de moddersporen op de vloerbedekking, liep naar McGregor toe en trok een stukje modder van diens wang. Hij legde het in de palm van zijn hand en bekeek het aandachtig. Toen verkruimelde hij het en rook eraan.

'Bijzonder interessant,' zei hij. 'Deze kleisoort komt met name in het zuidwesten van het eiland voor. Bevat veel aluin.'

'*Elementary, my dear Burnham.*'

'U hebt een baard van een paar dagen, de kleding die u aanhebt, is eh... verfomfaaid, en u ziet er bijzonder vermoeid uit. Daarnaast trekt u met uw been.'

'Als u me toestaat,' zei McGregor, 'zal ik een sigaar opsteken. Kunt u de as ervan analyseren.'

'Haha,' zei Burnham zonder te lachen. 'U bent uw kenmerkende gevoel voor humor nog niet verloren, zie ik. Wat deed u daar in de Pit?'

'Ik heb daar een genoeglijk avondje met vrienden doorgebracht.'

'De man die u hiernaartoe gebracht heeft, is meteen doorgereden naar de politie. Daarom ben ik hier nu. Kennelijk was de man danig onder de indruk – het komt hier niet vaak voor dat er midden in de nacht iemand uit het moeras tevoorschijn komt, die dan ook nog eens onder de modder zit. Daar zijn ze niet aan gewend.'

'Ik ook niet, moet ik zeggen.'

'Dat geloof ik graag,' zei Burnham. 'En dat been van u?'

McGregor trok zijn broekspijp op om zijn enkel te laten zien.

'Ziet er lelijk uit,' zei Burnham. Hij boog zich om de wond nader te bekijken. 'Maar zo te zien was het maar een kleintje.'

'Hij was groot genoeg. Fijn opgemerkt van u.'

'Vreemd. De kleintjes zijn meestal tamelijk schuw.'

'Dit kleintje was niet in z'n eentje.'

'Ah.' Burnham kwam overeind. 'U wilt daar natuurlijk even een arts naar laten kijken.'

'Natuurlijk.'

Burnham liep in de richting van de badkamer. 'Ik zou eerst maar eens gaan douchen als ik u was. Voor je het weet, gaat de boel ontsteken.'

McGregor zei: 'Dat kan straks. Eerst moeten we eens even praten.'

Burnham bleef staan en draaide zich om. McGregor haalde opgelucht adem.

'Praten?'

'Ja.'

'Maar waarover dan?' zei Burnham. Hij draaide zich weer om, ging de badkamer binnen, bleef daar even, en kwam toen weer terug. 'Het ziet ernaar uit dat u gelijk hebt,' zei hij. 'We moeten inderdaad eens even praten.'

In zijn hand hield hij een stukje van het glimmende beeld. 'Natuurlijk zult u alle betrokkenheid hierbij ontkennen, neem ik aan?'

'Natuurlijk.'

'U was er niet toen dit gebeurde.'

'Correct.'

'Iemand anders heeft dit gedaan, om u erin te luizen, zodat het net was alsof u dat beeld de hele tijd in uw bezit had.'

'Precies.'

'En het was de bedoeling van die persoon om u in een kwaad daglicht te stellen.'

'Ongetwijfeld.'

'En dat is dan ook gelukt.'

'Dat is zonneklaar.'

'De heer Wayne en mejuffrouw Grant hebben uitgecheckt en kunnen niet meer worden verhoord.'

'Ze zijn het land uit.'

'Nou, dat niet,' zei Burnham. 'We hebben de vliegvelden van Montego en Kingston nauwlettend in de gaten gehouden. Ze zijn niet vertrokken.'

'Maar ze hebben het hotel wel verlaten.'

'Inderdaad,' zei Burnham. 'En dit hebben ze voor u achtergelaten.' Hij hield de scherf omhoog. 'Heel vervelend voor u.'

'Dus nu gooit u me in de cel.'

'Absoluut,' zei Burnham.

'Mag ik eerst nog even ontbijten?'

'Wat u wilt,' zei Burnham. 'We hebben geen haast. U zit namelijk al in de cel.'

'O ja?'

Burnham knikte. 'Dat staat vanmiddag al in de krant.'

'Wanneer ben ik opgepakt?'

'Een uur geleden. U bent in Morstown gearresteerd.'

'Juist,' zei McGregor, ook al wist hij op zich niet wat er precies juist was. 'En in welke gevangenis zit ik?'

'Kingston. Uiteraard extra beveiligd. Er wordt goed op u gepast.' Burnham tikte met een vinger op de scherf die hij in zijn hand hield. 'Ik heb dit allemaal op eigen initiatief gedaan,' zei hij. 'Daar zijn aanzienlijke risico's aan verbonden. Maar ik ben bereid u achtenveertig uur te geven.'

'Sportief.'

'Vooral praktisch,' zei Burnham. 'We komen mankracht tekort, en de werkdruk is erg hoog.'

'Dus u geeft me achtenveertig uur de tijd om de zaak op te lossen?'

'Dat is in grote lijnen correct.'

Roomservice bracht het ontbijt met de vier rum collins. McGregor reikte Burnham een glas aan.

'Gaat u zitten,' zei hij. 'Kunnen we even praten.'

'Ik neem aan,' zei Burnham, terwijl McGregor op de eieren aanviel, 'dat u geen dichter bent.'

'Niet echt, nee.'

'Het zou u geholpen hebben. Neem nu bijvoorbeeld de naam van de boot. Een bizarre naam, maar op zich een aanwijzing. Eigenlijk een soort grapje, denk ik. Maar laten we bij Trevo beginnen.'

'Trevo, in Italië,' zei McGregor.

'Inderdaad. Trevo in Italië. In juni van het jaar 1944 kwam er een detachement Duitse soldaten met een gepantserde truck aan in Trevo. Ze bleven er twaalf uur. Toen ze vertrokken, werden ze door Siciliaanse partizanen in een hinderlaag gelokt en vermoord. Pas een paar weken later werd duidelijk wat deze daad voor consequenties had. Kent u generaal Doermann?'

'Nee.'

'Tijdens de veldslagen in Ethiopië heeft hij een zekere naam opgebouwd, en in de loop van de oorlog maakte hij snel promotie. Zat een hele tijd in het Middellandse Zeegebied en Noord-Afrika. Een kleine man, in alle opzichten, kortzichtig en onhandig. Maar slim.'

'Gaat u verder.' McGregor had de eieren soldaat gemaakt en begon nu aan de toast.

'Hij heeft veel oorlogsbuit in Ethiopië verzameld. Op het eerste gezicht zou je misschien niet denken dat er in Ethiopië veel te halen viel, maar dat was dus wel zo. Doermann heeft er heel wat particuliere schatten vandaan gehaald. Toen de asmogendheden de oorlog dreigden te verliezen, verborg hij die schatten.'

'In Trevo.'

Burnham knikte. 'In Trevo. Het was een van de vier oorlogsschatten van de asmogendheden waarvan bekend is dat die tijdens de oorlog in Italië zijn verstopt. Ergens in de Dolomieten schijnt een schat te zijn verborgen, een in de buurt van Fiesole, en de vierde zou zijn verstopt in de buurt van Triëst, u weet wel, een kustplaats ten noorden van Venetië. Zo nu en dan staat er een ondernemende Italiaan op om naar die schatten te gaan zoeken, en soms ontstaat het gerucht dat een van die schatten daadwerkelijk gevonden is. Een paar maanden geleden deed het verhaal de ronde dat de schat van Trevo ontdekt was, in de bergen ten noorden van het plaatsje.'

'En u wilt me nu vertellen...'

'... dat die schat het land uit is gesmokkeld, vanuit Napels. Inderdaad. De schat was moeilijk te traceren, omdat hij zo klein was dat hij gemakkelijk vervoerd kon worden. De andere schatten bestaan uit goudstaven, maar Doermann was daar te slim voor. Zijn schat, met een waarde van anderhalf miljoen Amerikaanse dollars, was compact: diamanten.'

'Diamanten?' zei McGregor, terwijl hij een eerste slok rum collins nam.

'Prachtige blauwe Ethiopische diamanten. Plus nog wat stersaffieren, voor de afwisseling. De man die ze gevonden had, werd natuurlijk door de plaatselijke bevolking vermoord, wat op Sicilië...'

'De maffia.'

'Waarschijnlijk. Maar ze bleken een mol in de gelederen te hebben – anderhalf miljoen laat de meeste mensen niet koud – en de edelstenen zijn in andere handen overgegaan. De maffia heeft er natuurlijk alles aan gedaan om ze terug te krijgen.'

'Wie heeft ze toen in handen gekregen?'

'Ah,' zei Burnham, die de smaak te pakken kreeg, 'dat is heel interessant. Het is voornamelijk een kwestie van het verdelen van de rijkdom. Geen enkel individu kan ineens anderhalf miljoen dollar rijker worden zonder dat de autoriteiten daar iets van gaan denken. Dan krijg je te maken met inkomstenbelasting, met vennootschapsbelasting, kortom: heel ingewikkelde zaken. Iemand die ineens anderhalf miljoen dollar meer op zijn bankrekening heeft staan, moet dat naar de staat toe kunnen verantwoorden. Zo'n bedrag moet in de boeken terug te vinden zijn, in bankafschriften en aandelen, en zo'n vermogen moet in de loop der tijd zijn opgebouwd. Het moet allemaal legaal zijn. Anders heb je niets aan rijkdom. Volgt u me?'

'Ik volg u.'

'Goed dan,' zei Burnham. 'Wereldwijd zijn er misschien tien mensen die dit soort bedragen kunnen kanaliseren. De witwassers. Ze nemen een groot bedrag aan illegaal verkregen geld en zetten dat om in legale waardepapieren. Ze kunnen rekeningen antidateren, leggen oude grootboeken aan, kunnen aan belastingaangiftes van voorgaande jaren komen, produceren facturen en betaalde rekeningen. Ze kunnen in *no time* een bedrijf uit de grond stampen dat al tien jaar bestaat.

Er gaan enorme bedragen door hun handen: ettelijke miljarden per jaar. De grootste is een hindoe uit Bombay, die voor de opiumhandelaren aldaar werkt. Er zit er ook een in Hongkong die drieëntwintig miljard dollar per jaar witwast. Die mensen rekenen een behoorlijke provisie, meestal dertig procent van het totaalbedrag. Dus iemand heeft een miljoen verdiend aan een overval of aan het smokkelen van drugs, huurt zo'n witwasser in en houdt er dan zevenhonderdduizend aan activa aan over. Volgt u mij nog?'

'Ik volg u nog.'

'In Napels woont ook zo'n type, maar die is al op leeftijd en zit onder de plak van de maffia. Degene die de diamanten heeft gestolen, zal dus niet zo gauw bij hem aankloppen. Er zit verder nog iemand in Marseille, en nog een in Tanger. Maar met geen van die twee heeft die persoon contact opgenomen. In plaats daarvan is het geld naar het buitenland gesluisd, met als bestemming Venezuela.'

'Aan boord van de *Grave Descend*?'

'Inderdaad. Er kwam ons althans ter ore dat het geld aan boord van een jacht was en naar Venezuela zou gaan. Dat was algemeen bekend, bij elke politie-organisatie ter wereld, en waarschijnlijk ook bij de maffia.'

'Geweldig.'

'Daarom waren we bovenmatig geïnteresseerd in de *Grave Descend*, snapt u? Vooral omdat het schip naar Venezuela leek te gaan. Dat is een land waar je heel gemakkelijk geld kunt witwassen. Ondanks de instabiele politieke situatie heeft Venezuela zijn financiën altijd goed op orde. De Venezolaanse bolivar staat bijna net zo hoog als de Zwitserse frank, weet u.'

'Dat wist ik niet, maar gaat u verder.'

'Onze belangstelling werd nog groter toen we ontdekten van wie het schip was. We hadden het natuurlijk kunnen weten. Iedereen vond dat het schip zo'n rare naam had, maar niemand had in de gaten dat die naam een aanwijzing vormde.'

'Een aanwijzing?'

'Een aanwijzing van wie het schip was. In Pittsburgh, Pennsylvania, woont een zekere Robert Wayne. Hij is vijfenzestig en zit sinds kort in een verpleeghuis, als gevolg van zijn vijfde hartaanval. Hij is tamelijk vermogend, was iets hoogs in de staalindustrie, maar heeft nooit een jacht gehad.'

'En Arthur Wayne?'

'Die bestaat niet. Robert heeft geen broers. En de General Marine Insurance Company bestaat ook niet, niet in Chicago en ook niet ergens anders. Verder is er niemand in New York die ene Monica Grant kent. Ze staat niet in het telefoonboek, is geen klant van welk nutsbedrijf dan ook, en staat ook niet op de loonlijst van welke grote nachtclub dan ook.'

'U hebt uw huiswerk gedaan.'

Burnham schonk hem een glimlachje. 'Het blijkt dat de eigenaar van het jacht op Jamaica woont, een voormalige Amerikaanse staatsburger, Robert Levett genaamd. Dr. Robert Levett. Snapt u het nu?'

'Nee,' zei McGregor.

'Kent u dr. Johnson?'

'Niet persoonlijk.'

Burnham zuchtte. 'In elk geval is Robert Levett een van de tien mannen die ik al eerder noemde. Een witwasser. Natuurlijk is het bij de autoriteiten bekend waarmee hij zich zoal bezighoudt.'

'Waarom pakken ze hem dan niet op?'

Burnham spreidde zijn handen en keek naar zijn vingers. 'Dat is een delicate kwestie. Ze laten hem met rust, omdat hij zijn geld investeert in de ontwikkeling en industrie van Jamaica.'

'Ah. Verdacht kapitaal is beter dan geen kapitaal.'

'Zoiets.'

'De gesel van de onderontwikkelde landen.'

Burnham haalde zijn schouders op. 'Het kan altijd nog erger.'

Op dat moment kwam er een arts binnen, die het been van McGregor onderzocht. Hij deed prikkende jodium op de wonden; McGregor kreunde.

Burnham kwam overeind en liep naar de deur.

'Wacht even,' zei McGregor. 'Hoe vind ik die Levett-figuur?'

'Hij heeft een huis, iets verder naar het oosten,' zei Burnham. 'Silverstone heet het.'

13

Yeoman zat in de Cockatoo en keek op toen Mc-Gregor met manke tred binnenkwam.

'Heeft iemand geprobeerd je op te eten?'

'Ja. Is hem nog bijna gelukt ook.'

'Je ziet er niet erg smakelijk uit,' zei Yeoman. 'Waar is Sylvie?'

'Sylvie? Geen idee.'

'Ik dacht dat ze bij jou was.'

'Nee, niet bij mij. Ik zat in de Pit.'

'Leuke plek om naartoe te gaan,' zei Yeoman. 'Wie heeft je daarnaartoe gebracht?'

'Kennelijk ene Levett.'

Yeoman keek hem fronsend aan.

'Is er iets?'

'Hij is iemand voor wie je moet oppassen,' zei Yeoman. 'Daarom noemen ze hem hier ook Mr. Bad News.'

'Waarom?'

'Hij houdt zich met geld bezig. Regelt duistere zaakjes, het witwassen van geld. Heb je een overval gepleegd of een kraak gezet en wil je dat geld witwassen, dan moet je bij Mr. Bad News zijn, want voor dertig procent van het bedrag regelt hij verder alles.'

'Wat weet je nog meer?'

'Hij heeft een vriendin. Maria Perez heet ze. Ze komt uit Porto Rico, heeft een lichtbruine huidskleur en heeft haar naam veranderd. Ze verzamelt luipaarden.'

'Ocelots,' zei McGregor.

'Ken je haar?'

'Ze was bij me toen ik een klap op mijn kop kreeg en werd afgevoerd naar de Pit.'

'Ook iemand voor wie je moet oppassen,' zei Yeoman.

McGregor vroeg: 'Woont ze met Levett in Silverstone?'

'Ja. In dat huis. Heb je dat gezien?'

'Ja, heb ik gezien. Maar wat is er met Sylvie?'

Yeoman haalde zijn schouders op. 'Ik heb haar gisteravond gezien, en vanmorgen vroeg weer. Ze was naar je op zoek, maar we konden je nergens vinden. Ze zou hier om twaalf uur naartoe komen.'

McGregor keek op zijn horloge. Het was nu half-een. Dat was raar, want Sylvie was anders altijd stipt op tijd. 'Waar ging ze heen?'

'Het laatste wat ik hoorde, was dàt ze naar Silverstone ging om te kijken of je daar was.'

'Geweldig,' zei McGregor fronsend.

Ze praatten nog een paar minuten door. Yeoman vertelde hem alles wat hij wist over Silverstone, wat niet veel was, alleen dat het een groot huis was, en dat er een hek omheen stond dat volgens sommigen onder stroom stond en volgens anderen niet. Een paar jongens uit Port Martin hadden ooit geprobeerd er in te breken. Er was nooit meer iets van hen vernomen.

McGregor zei: 'Ik ga er nu naartoe.'

'In je eentje?'

'Ja.'

'Dat lijkt me niet verstandig,' zei Yeoman. Hij betaalde zijn biertje en stond op.

'Ik kan maar beter alleen gaan.'

'Nee, mon,' zei Yeoman. 'Je kunt maar beter niet alleen gaan.'

Halverwege de berghelling, op een veldje naast het onverharde pad, hadden ze uitzicht op de kustweg, zestig meter lager, op de zee en op de kaap.

McGregor lag op de grond en tuurde door een verrekijker. Silverstone was goed te zien. Het was een houten huis, gebouwd in de stijl van de oude plantages. Het had twee verdiepingen, was wit, met een onopvallende gevel en hoge pilaren aan weerszijden van de deur. Links van het huis lag een tennisbaan, rechts een zwembad. De afstand was te groot om de gezichten van de zes mensen in en rond het zwembad te kunnen onderscheiden, maar een van hen lag in een dekstoel, iets van de anderen af, en leek op Sylvie.

Hij vertelde Yeoman wat hij zag.

'Wat is ze aan het doen?'

'Niks,' zei McGregor. Hij tuurde weer door de verrekijker. 'Ze ligt daar maar een beetje te liggen.'

'Weet je zeker dat zij het is?'

'Ik weet het niet zeker, maar ik denk het wel.'

'Wie zie je nog meer?'

'Vijf anderen. Ik kan hun gezicht niet goed zien.'

McGregor richtte de verrekijker op het hek dat om het huis heen liep, helemaal tot aan de zee. Waar het hek ophield, waren rollen prikkeldraad aangebracht en liepen de klippen van de kaap steil naar beneden.

'Zo te zien willen ze liever geen bezoek.'

'Nee, mon.'

De kaap deed denken aan een vinger. Aan de zeekant stond geen hek, omdat de klippen te steil waren om erlangs omhoog te klimmen. Natuurlijk was er wel een trap die naar het strand liep, maar bovenaan stond een poort met een bewaker erbij.

McGregor legde de verrekijker weg.

'Wat ga je doen, mon?'

'Ik ga daar naar binnen.'

'Hoe?'

'Ik rij ernaartoe en stel mezelf keurig voor.'

'Dat is makkelijk,' zei Yeoman. 'Maar hoe kom je daar weer weg?'

'Als ik over twaalf uur niet in de Cockatoo ben,' zei McGregor, 'samen met Sylvie, moet je me komen halen.'

'Dat is niet makkelijk,' zei Yeoman.

'Kun je aan een vuurwapen komen?'

Yeoman glimlachte flauwtjes.

'Zorg dat je een wapen hebt,' zei McGregor, 'en gebruik dat ding.'

'Flinke orders van de generaal,' zei Yeoman. 'Denk je dat je een zelfmoordcommando aanvoert?'

'Ik denk dat je een slimme kerel bent,' zei McGregor.

'Slim is tot daar aan toe. Stom is iets anders.'

McGregor keek hem aan. 'Lukt het je, denk je?'

Yeoman zweeg een hele tijd. Hij pakte de verrekijker en keek naar het huis en de kaap. Na een poosje zei hij: 'Ik zou de politie kunnen inschakelen.'

'Nee.'

Hij tuurde weer door de verrekijker. 'Vind je het erg als er wat bloed vloeit?'

'Als het mijn bloed maar niet is.'

Yeoman legde de verrekijker neer. 'Oké,' zei hij. 'Twaalf uur.'

'Ik zal proberen op eigen kracht weg te komen,' zei McGregor.

'Doe dat. Zou me een hoop moeite besparen.'

'Doe ik.'

'Maar voor het geval het je niet lukt,' zei Yeoman zonder emotie op zijn gezicht, 'altijd rustig blijven.'

McGregor knikte.

'En voor het geval ze je een kamer geven, moet je bij het raam gaan staan en naar buiten kijken.'

McGregor knikte. 'Heb je iets speciaals in gedachten?'

'Een plannetje,' zei Yeoman. 'Blijf vijf minuten naar buiten kijken en steek dan een sigaret op. Daarna ga je weer bij het raam weg en blijf je daar weg. Begrepen?'

'Begrepen.'

'Tot later.'

McGregor reed in zijn pick-up naar de poort van Silverstone. Een Jamaicaan in een kakiuniform kwam naar hem toe; de man was discreet gewapend met een pistool, weggeborgen in een holster.

'U mag hier niet komen.'

'Natuurlijk wel,' zei McGregor.

'Hebt u een afspraak?'

'Meneer Levett wil me vast wel spreken.'

'Dr. Levett wil helemaal niemand spreken.'

McGregor zette de motor uit. 'Zeg maar dat James McGregor er is.'

De bewaker keek hem onverholen vijandig aan, maar liep toch terug achter de poort en voerde een gedempt telefoongesprek. Toen hij terugkwam, toonde hij meer respect.

'Rijdt u maar helemaal door, dan kunt u links parkeren en door de vooringang naar binnen gaan.'

McGregor knikte en reed over het grindpad, dat zich op een gegeven moment verbreedde en voor het huis met de pilaren rondliep. Hij zette zijn auto naast een Ferrari, een Mercedes en een witte Anglia.

Hij stapte uit en klopte aan. Een dienstbode deed open, een vrouw met een gesteven, zakelijk uniform aan en een strak, zakelijk gezicht. 'Meneer McGregor?'

'Ja.'

'Dr. Levett ontvangt u in de bibliotheek. Wilt u me maar volgen?'

Ze ging hem voor door een gang naar een dubbele deur, deed die open, waarna hij in een strak ontworpen, tamelijk elegant ingerichte bibliotheek kwam. Achterin, achter een glimmend teakhouten bureau, zat een zwaarlijvige man, gekleed in een hawaïshirt en een zwembroek. Hij had een bril met halve glazen op en las een boek.

'Ah. Meneer McGregor.'

Hij kwam overeind, waardoor nog beter te zien was dat hij een omvangrijke gestalte had, en stak zijn hand uit.

'*Dr. Levett, I presume.*'

Levett begon te grinniken, en zijn reusachtige lijf schudde onder het opzichtige shirt.

'Fijn dat je kon komen, McGregor.' Met een gebaar nodigde hij hem uit plaats te nemen. 'Borrel?'

'Prima.'

'Ik drink alleen maar wodka,' zei Levett. Hij schonk het heldere vocht uit een kristallen karaf. 'En alleen maar Russische. Van alle drank is dat veruit het gezondst. Kleurloos en puur. Weet je bijvoorbeeld wat er allemaal in whisky zit?'

'Nee,' zei McGregor. Hij kreeg een glas wodka zonder ijs in handen geduwd.

'Foezelolie, houtextracten, formaline, een beetje benzeen. Daar krijgt het die kleur door. En dan heb ik het alleen over Schotse whisky, want Amerikaanse whisky is nog erger. Rum is weliswaar kleurloos maar verre van puur. Bovendien is dat spul funest voor je zenuwstelsel, omdat er 4-nitrofenol in zit. Naar spul.'

'Juist.' Hij keek naar zijn glas. 'Zou ik er wat ijs in mogen?'

'IJs? *IJs?*' Hij klonk oprecht ontdaan. 'Je maakt een grapje, mag ik hopen? Als je er ijs in doet, koelt de wodka af tot ongeveer acht graden Celsius en komt het spul op een temperatuur van rond de elf graden in die arme, geteisterde maag terecht – zo'n zesentwintig graden onder de lichaamstemperatuur. Het is heel slecht voor de maag om gekoelde dranken te drinken.'

'O.' Toen hij zag dat Levett zijn glas hief, deed hij beleefdheidshalve hetzelfde en nam een slok. Het vocht gleed soepel naar binnen en was sterk en scherp.

McGregor knipperde met zijn ogen tegen de tranen, en zei: 'U bent toch dokter?'

'Dokter? Hemeltjelief nee, zeg. Ik heb een hekel aan alles wat met ziekte te maken heeft. Hoe kom je daar zo bij?'

'Ze noemen u dokter Levett.'

'Ah. Een onschuldig misverstand. Ik ben doctor in de Engelse letterkunde.' Hij gebaarde naar de boeken die in de bibliotheek stonden. 'Lees je veel, McGregor?'

'Niet veel.'

McGregor zette zijn glas neer, liep langs de rijen met boeken en bekeek de titels. Er bleek een hele verzameling boeken over Johnson te staan: *The Short Works of Samuel Johnson*; *Samuel Johnson: a Biography*; *Johnson as a Poet*; *Johnson and His Comtemporaries*; *Johnson and London.*

Hij liep naar de andere kant van de kamer en bekeek de boeken die daar stonden. Van hetzelfde laken een pak. *Samuel Johnson and Mr. Boswell*; *Essays of Johnson*; *Boswell's Life*; *Samuel Johnson – a Critical Appraisal.*

'Zelf lees ik wel,' zei Levett. 'Ik ben zelfs een autoriteit.'

'Op het gebied van Samuel Johnson?'

'Precies. Ik denk dat ik een van de zes of zeven mensen ter wereld ben die alles van hem weten.'

'Is dat een hobby?'

'Een roeping.'

'Charmant. Maar ik ben hier voor zaken.'

'Zeker. En de zaken waarmee ik me bezighoud, hebben met geld te maken, zoals je ongetwijfeld weet.'

'U houdt zich bezig met de Trevo-diamanten,' zei McGregor.

Even reageerde Levett niet, en toen glimlachte hij. 'Niet slecht van je,' zei hij. 'Een zeer bijzondere deductie.' Hij keek McGregor doordringend aan en zei: 'Of heb je hulp gehad?'

'Een beetje.'

'Toch: heel bijzonder. En hoe ben je uit die cel in

Kingston gekomen?'

'Ik ben bang dat de politie op Jamaica overschat wordt,' zei McGregor.

'Wat je zegt, wat je zegt. Ik ben bij tijd en wijle ook tot dat inzicht gekomen. In een andere context, uiteraard.' Levett zweeg even. 'Wat is precies de reden waarom je naar me toe bent gekomen?'

'Ik ben erin geluisd.'

'O?'

'Ja. En ik wil weten waarom.'

'Denk je dat ik je erin geluisd heb?'

McGregor haalde zijn schouders op. 'U bent de eigenaar van de *Grave Descend*.'

Levett begon weer te grinniken. 'Dat is waar.'

'Ik wil weten waarom u me erin hebt geluisd.'

'Dat is niet zo eenvoudig te beantwoorden,' zei Levett. 'Het is een lang en uiteindelijk niet zo'n boeiend verhaal, ben ik bang. Zullen we naar buiten gaan?'

Voordat McGregor antwoord kon geven, liep Levett naar een dubbele deur en deed die met een zwaai open. McGregor hoorde het gespatter van water, mensen lachten, en toen zag hij het zwembad.

Levett bleef bij de deur staan. 'Na jou,' zei hij.

Ze vormden een aandoenlijk groepje. In een hoek zat Wayne, op een dekstoel, met op zijn schoot Monica Grant, giechelend en nippend aan een drankje. In een andere hoek zat Elaine, die haar ocelots aaide.

En ten slotte was Sylvie er ook, die boos uit haar ogen keek en er schoon genoeg van leek te hebben.

'Volgens mij ken je iedereen al,' zei Levett, terwijl hij naar het gezelschap rond het zwembad gebaarde. 'Meneer Wayne is in het echt mijn broer, Charles Levett. Juffrouw Grant is Barbara Levett, mijn schoonzus. Elaine ken je, en dan hebben we natuurlijk nog de charmante Sylvie, die vandaag al eerder langskwam en is overgehaald te blijven.'

Sylvie zweeg.

'Eigenlijk had ze geen keuze,' zei Levett opgewekt. 'We hadden jou nodig, zie je. En door haar hier te houden, wisten we zeker dat je hiernaartoe zou komen.'

Toen McGregor nog eens goed keek, zag hij vaalrode striemen op haar rechterwang.

'We hebben haar buiten neergezet, zodat iemand met een verrekijker haar bij het zwembad kon zien zitten. Is het inderdaad zo gegaan?'

'Ja.'

'En ongetwijfeld zal die trouwe zwarte vriend van je – Yeoman, is het niet? – bij je staan om je te komen redden?'

McGregor zweeg.

'Nu wil het toeval,' zei Levett, 'dat we vier buitengewoon sterke kerels op hem af hebben gestuurd. Ze zullen hem niet al te hardhandig aanpakken, maar de kans is groot dat hij toch een tijd in het ziekenhuis zal moeten doorbrengen.'

McGregor bleef roerloos staan. Zijn eerste gedachte was dat Levett maar wat verzon.

'Ze zullen hem ongetwijfeld in de Cockatoo kunnen vinden en daar met hem afrekenen,' zei Levett. 'Want volgens mij is dat de kroeg waar hij vaak gaat, eh, hangen. Je moet begrijpen dat dit enkel een voorzorgsmaatregel is zodat je rustig kunt werken zonder te worden gestoord.'

'Werken?'

'Natuurlijk,' zei Levett met een lach. 'Waarom

denk je anders dat we je hierheen hebben gelokt?'

'Ik snap het niet helemaal...'

'Ik heb vanmorgen een bezoekje van de maffia ge-had,' zei Levett. 'Ze deden heel onaardig en zijn het hele huis door geweest. De ijver die ze daarbij aan de dag legden, was werkelijk zeer stuitend. Weet je wat ze hebben gedaan? Ze hadden een of ander röntgen-apparaat, en daarmee hebben ze alles doorgelicht. Alle kamers, alle spullen, alle matrassen en stoelen en lampen. Ze gingen buitengewoon grondig te werk. En toen ze klaar waren, waren ze eindelijk overtuigd dat ik de edelstenen niet in mijn bezit had. Terwijl ik dat de hele tijd al had gezegd. Weet je, naar de maf-fia stel ik me altijd tamelijk terughoudend op. Over het algemeen werk ik alleen voor particulieren, maar zo nu en dan doe ik wel eens een klusje voor ze. De zaken in Freeport, op de Bahama's, zijn daar een voorbeeld van. Er bestaat dus een vriendschappelij-ke doch oppervlakkige band tussen ons. Smaakt het?'

'Ja, heerlijk,' zei McGregor. Hij nipte van het ster-ke, bijtende spul om te laten zien dat hij het werke-lijk meende.

'Als je nog een glaasje wilt, zeg je het maar. Maar goed, ik onderhoud dus een vriendschappelijke maar oppervlakkige band met de maffia. Ze weten dat ik ook voor anderen werk. Dus toen ze erachter kwa-men dat mijn boot, die ik aan een vriend had uitge-leend, gebruikt werd om de Trevo-diamanten te ver-voeren...'

Hij haalde zijn schouders op.

'U was niet persoonlijk betrokken bij het trans-port?'

'Beste jongen,' zei Levett, 'natuurlijk was ik daar wel bij betrokken. Ik ben ingehuurd om ze te verzilveren, om ze wit te wassen, om ze om te zetten in contanten. Er was maar één probleem.'

'De maffia zat erachteraan.'

'Inderdaad. Die zaten erbovenop. Daarom moest ik maatregelen nemen om het geld te laten verdwijnen.'

'De kluis?'

'Ja, dat maakte er deel van uit. Een afleidingsmanoeuvre: we zorgden dat ze hem konden stelen. Hij was natuurlijk leeg.'

'Dat spreekt vanzelf.'

'Als ze eenmaal ontdekten dat er niets in de kluis zat, zouden ze met dubbele energie achter het beeld aan gaan, dat in Napels aan boord van het schip was gebracht.'

'En waar de diamanten in verstopt waren.'

'Ja.'

'En dat beeld hebt u in mijn kamer gezet...'

'Zonder de diamanten. Die hadden we er inmiddels uitgehaald. Maar daardoor kwam je in een lastig parket. Je kreeg de politie op je dak.'

'Dat heb ik gemerkt.'

'Uiteindelijk zal ik je in een nog lastiger parket brengen. Je krijgt de maffia op je dak.'

Dan kon hij het wel schudden. De maffia zou hem in elkaar slaan, en dan zouden ze...

'Maar dan vertel ik het ze gewoon,' zei McGregor. 'Dan vertel ik ze gewoon het hele verhaal.'

'Dat lijkt me sterk,' zei Levett. 'Kom eerst maar eens mee om te kijken naar de spullen die we voor je hebben klaargezet. Je moet even controleren of alles

het doet en zo. En dan zul je waarschijnlijk even willen gaan rusten – voordat je gaat duiken,' zei Levett.
Hij begon weer te grinniken.

14

Sylvie kwam naar hem toe toen hij in een hoekje bij het zwembad de zuurstoftanks en regulator aan het inspecteren was. Ze droeg een bikini en zag er met haar weelderige vormen buitengewoon aantrekkelijk uit, zeer Frans, maar haar blik stond ernstig.

'Hoe gaat het?' vroeg ze.

'Goed.'

'Je liep een beetje mank.'

Pas toen dacht hij aan zijn been. De wond. Die zou onder water weer gaan bloeden. En de haaien...

'Het valt wel mee. Hoe ben jij hier terechtgekomen?'

'Ik was op zoek naar jou,' zei ze, bijna verwijtend. 'Ik liep langs het hek toen een man me overmeesterde en naar het huis sleurde. Toen moest ik dit van ze aantrekken...' Even raakte ze haar bikini aan. '... en moest ik bij het zwembad gaan zitten. De hele middag. Ik mocht niet weg. En die andere zat steeds naar me te loeren.'

'Die andere?'

'Wayne, of hoe hij ook mag heten.'

'O?'

'Ja.' Met een kort moment van vrouwelijk genot zei ze: 'Zijn vrouw zag het en vond het maar niks.'

McGregor richtte zijn aandacht weer op de apparatuur en zweeg een tijdje. Toen zette hij de tanks weg.

'Zou jij Wayne kunnen verleiden?' vroeg hij.

Sylvie trok haar neus op.

'Het is belangrijk.'

Weer trok ze haar neus op.

'Het is echt heel belangrijk,' zei hij.

'Komen we hier dan weg?'

'Dat zou wel helpen.'

'Dan zal ik eens zien wat ik kan doen,' zei ze.

Levett kwam terug. Tegen McGregor zei hij: 'Werkt de apparatuur naar behoren?'

'Ja, prima.'

'Mooi. Kom dan maar mee. Je kunt maar beter even gaan rusten tot het donker wordt.'

'Moet ik vannacht duiken?'

'Zeker.'

'Waar?'

'In de buurt van de *Grave Descend*,' zei Levett.

'Waar duik ik naar?'

'De diamanten. Kom nu maar mee.'

Toen hij met de man meeliep, keek hij even achterom naar Sylvie.

Ze gaf hem een knipoog.

Om zeven uur, toen de zon onderging, vertrokken ze vanaf het strand. McGregor, geflankeerd door twee potige kerels, liep achter Levett aan, de uit de rotsen gehouwen trap af. Er werd een boot het strand op getrokken; de buitenboordmotor bleef draaien.

Hij stapte met de anderen aan boord. De boot werd afgeduwd, en de man die hem bestuurde, voer naar open zee.

De avond viel gestaag. Ze waren ongeveer een halve mijl uit de kust toen McGregor zei: 'Hoe moet ik die diamanten vinden?'

Levett begon te grinniken. 'Ze zijn van boord gehaald voordat het jacht tot zinken is gebracht,' zei hij. 'Het beeld is weggehaald, en de juwelen zijn verstopt op de enige plek waar de maffia nooit zou kijken.' Hij wees naar de golven. 'Op de bodem van de zee.'

'Maar hoe vind ik die dingen ooit weer terug?'

'Hiermee.' Levett haalde een radio-ontvanger tevoorschijn, een apparaatje dat constant bliepte. 'Er is een zendertje aan de diamanten vastgemaakt. Met dit ding spoor je de juwelen zo op. Uiteraard waterproof. Dat hebben die Japanners slim gemaakt, hè? Raar eigenlijk dat ze de oorlog verloren hebben.'

Hij gaf het apparaatje aan McGregor. De bliepjes klonken steeds harder.

'Het is eigenlijk heel eenvoudig,' zei Levett. 'De diamanten liggen op een koraalrif op twaalf meter diepte.'

'Wie heeft ze daar neergelegd?'

'Een vriend,' zei Levett.

'Die nu overleden is?' zei McGregor.

'Doe niet zo paranoïde.'

'Ik vroeg het me alleen maar af.'

Het apparaat begon nog harder te bliepen, plotseling twee keer zo snel.

'Ah,' zei Levett. 'We varen er nu recht boven.'

McGregor keek over de reling, maar door de invallende duisternis kon hij niet onder de waterspiegel kijken. Hij keek op zijn horloge: halfacht.

Hij hees de zuurstoftanks op zijn rug en zei: 'Hebt u ook een geweer?'

'Een geweer?'

'Een harpoen. Voor de hamerhaaien is het nu etenstijd.'

'Is dat zo?' zei Levett glimlachend. 'Nou, dan zul je wel niet lang beneden blijven.'

'Maar als ik geen geweer heb, kom ik misschien niet eens meer boven.'

Er viel een stilte. De boot dobberde op de kabbelende golven. Het enige geluid kwam van de bliepende radio-ontvanger.

Uiteindelijk knikte Levett naar de stuurman, die een klein gasgeweer met korte speerpunten tevoorschijn haalde. McGregor nam het wapen aan, voelde het gewicht in zijn hand, en controleerde de speerpunt. Er zat een Magnum kaliber 357 met explosieve lading op.

'Gaat het daarmee lukken?' vroeg Levett.

'Dat zal wel moeten,' zei McGregor. Hij hield zijn hand op. 'Ik wil nog twee van dezelfde speerpunten mee.'

'Die hebben we niet.'

McGregor haalde zijn wenkbrauwen op. 'Dan ga ik niet naar beneden.'

Weer viel er een stilte, en toen knikte Levett. De stuurman gaf McGregor nog twee pijlen met dezelfde speerpunten. McGregor draaide de patronen los en controleerde de lading, schroefde ze vervolgens weer op de pijlen en klikte die aan zijn loodgordel.

'Tevreden?' vroeg Levett.

'Min of meer,' zei McGregor. Hij deed zijn duikmasker op, trok zijn zwemvliezen aan, ging op het dolboord zitten en zette de regulator goed tussen zijn tanden. Levett klikte de radio-ontvanger om zijn nek en gaf hem een duiklamp. McGregor deed die aan en weer uit, zoog koude lucht door het mondstuk naar binnen en liet zich achterover van boord vallen.

Hij merkte dat het water verrassend warm was, warmer dan de avondlucht. Hij deed de lamp aan en zag een wolk van zilverkleurige belletjes opstijgen.

Hij wachtte even, dook, bewoog zijn zwemvliezen en volgde de smalle lichtbundel, die vlak bij de lamp nog geel was, maar al snel groen en daarna blauw werd naarmate het licht dieper scheen. Duizenden micro-organismen lichtten als stofdeeltjes op in het water en verspreidden het licht.

Naarmate hij dieper kwam, werd het water steeds kouder. Hij keek op zijn dieptemeter; hij zat nu op vijfentwintig voet, dus zo'n zevenenhalve meter. De lichtbundel had de bodem nog niet bereikt. Hij zwom door, en de ontvanger om zijn nek begon steeds harder te bliepen.

Het was lawaaierig om hem heen. Dat was iets wat je soms bij een nachtelijke duiksessie merkte: dat de zee vol nachtelijke creaturen was, die eten zochten en een vreemd, mechanisch geklik produceerden, als een reusachtige serie geschakelde relais, ergens in de verte.

Hij ademde uit, waardoor de luchtbellen uit de regulator om zijn gezicht omhoogborrelden, en zwom verder naar beneden. Nu begon hij vaag de contouren van de zeebodem te onderscheiden. Recht onder hem bevond zich een rif. In het schijnsel van zijn duiklamp zag hij een reusachtig hersenkoraal, met de typerende ingewikkelde patronen. Een kleine school gestreepte sergeant-majoorvissen zwom langs.

Het gebliep klonk nu erg hard en snel.

Hij bereikte de bodem.

Het rif was niet erg hoog en kwam tot een meter tachtig boven de zanderige bodem. Het was tamelijk kaal en niet zo mooi, maar wel rijk aan vis. Hij zwom laag, vlak boven het zand; zijn zwemvliezen woelden de zandbodem achter hem omhoog. Met behulp van de blieper zocht hij de bron van de signalen en zwom daarbij langs de rand van het rif. Het geluid zwol aan, maar op een gegeven moment was de intensiteit bijna ongemerkt afgenomen.

Hij was er voorbij. Hij draaide zich om en zwom terug. Het geluid klonk weer harder.

En toen, heel plotseling, veranderde het geluid van aard en ging het gebliep over in een ononderbroken zoemtoon.

Hij zwom niet verder.

Vlak onder hem was een uitwaaierend koraal die als een reuzenhand omhoogreikte. Links in het koraal zat een gat van ongeveer dertig centimeter.

McGregor keek ernaar en wachtte. Hij stak zijn hand liever niet in koraalnissen. In het gunstigste geval kwam je dan een krab tegen, in het ongunstigste geval een murene. Het was hem bekend dat murenen de meest gevreesde wezens waren die de mens in tropische wateren kon tegenkomen. Daarna kwamen barracuda's, en dan haaien. De murenen konden wel drie meter lang worden en waren ongekend agressief.

Hij scheen met zijn lamp in het gat. Er gebeurde niets: hij zag geen roze murenenogen oplichten in het donker, noch vlijmscherpe, witte tanden.

Wat hij wel zag, was de kenmerkende melkachtige tint van plastic. Het was een zakje, dat verzwaard was met een loden gewicht.

Hij wachtte.

Hij was zich ervan bewust dat hij in het water hing in een soort bol van licht, het gevolg van de lichtweerkaatsing van de kleine deeltjes in het water. Binnen die verlichte zuil, die een doorsnee had van een kleine twee meter, kon hij redelijk goed zien, maar daarbuiten heerste de duisternis. Er viel niet te voorspellen wat zich daar in het donker ophield. Dat was een van de griezelige dingen als je 's nachts ging duiken: de duisternis. Hij was er in de loop der jaren enigszins aan gewend geraakt.

Hij wachtte.

In het gat was niets veranderd. Op een gegeven moment durfde hij zijn hand erin te steken. Hij pakte de plastic zak en trok die eruit. Het ding had opvallend veel gewicht; hij had niet verwacht dat anderhalf miljoen dollar aan diamanten zo zwaar zou zijn. Hij schatte het gewicht op een paar kilo, al was het lastig schatten in het water.

Hij hield de zak in de lichtbundel om te kijken of hij door het dikke plastic heen de diamanten kon zien, toen hij *voelde* dat er iets in het water rondom hem veranderde.

Het was iets wat hij niet kon plaatsen; een plotselinge verandering in de stroming, een verandering in de geluiden die de vissen maakten, een nieuwe kilte. Wat het ook mocht zijn, het was in elk geval snel en subtiel.

Hij scheen met de lamp in het rond, zag eerst alleen blauw water, en toen iets anders.

Het puntje van een vin.

De vin kwam terug.

Een haai.

Het beest gleed langs hem. Het was een groot exemplaar, bijna twee meter lang, en zwom traag en dreigend door het water, op die onmiskenbare manier waarop haaien dat doen.

Het beest gleed langs de lichtbundel. McGregor wachtte af. Na een ogenblik kwam de haai terug, en toen zag hij het duidelijk. De romp van het beest was normaal, de gestroomlijnde romp en de rugvin, en de sierlijke en krachtige staart, maar het was de kop die hem de stuipen op het lijf joeg. Die kop leek op groteske wijze platgedrukt, in een vorm die deed denken aan een bijl of een hamer. De ogen stonden wijd in de kop, aan beide uiteinden van de platgedrukte snuit.

Een hamerhaai.

Snel keek hij omlaag naar zijn verbonden enkel. Als de wond bloedde, zou het in het water bij daglicht groen lijken, groen bloed dat tussen het witte verband door sijpelde. Maar in het schijnsel van de lamp zou het rood zijn.

Hij keek goed. Geen bloed te zien. Maar het zou kunnen dat de wond maar een heel klein beetje bloedde...

De hamerhaai zwom terug. Een oog, aan het uiteinde van de afzichtelijke snuit, draaide zich naar hem toe. McGregor richtte de felle lichtbundel op het oog, zo dichtbij mogelijk.

De haai schoot weg met een enkele krachtige beweging van de staart.

McGregor kreeg het plotseling erg koud. Dit was de ultieme duikersnachtmerrie – 's nachts duiken, en dan een hamerhaai. Die combinatie was zo angstaanjagend dat zijn primitiefste angstgevoelens de overhand dreigden te krijgen. Hij vocht tegen de paniek, tegen de impuls om onmiddellijk naar de oppervlakte te zwemmen, om wild met zijn benen te gaan trappen, om de angst te bezweren.

Juist dan zou de haai op hem afkomen en toeslaan. Daarom wachtte hij af, zo rustig mogelijk ademhalend. Hij probeerde zich zo goed en zo kwaad als dat ging te ontspannen, terwijl hij met de lamp om zich heen scheen en wachtte tot hij de haai weer in het vizier kreeg.

Hij voelde de harpoen aan zijn gordel hangen, plus de extra pijlen. Hij kon ze gebruiken, maar dat wilde hij liever niet. Die had hij nodig voor later.

In plaats daarvan pakte hij de pijlen, haalde de punten eraf, verwijderde de Magnumpatronen en deed die in zijn zak. De pijlpunten gooide hij weg. Hij had nu drie stompe pijlen zonder punt, die zich nergens in zouden kunnen boren; als ze van dichtbij op iemand afgevuurd werden, zouden ze een blauwe plek veroorzaken maar niet in het lichaam doordringen.

Langzaam zwom hij naar de oppervlakte. De haai kwam terug in een grote, trage cirkel; McGregor wachtte, waarna het beest de duisternis in gleed.

Hij zwom door naar boven, het geweer in de ene hand, de plastic zak in de andere. Op een diepte van tien meter liet de haai zich nog een keer zien en kwam tamelijk dichtbij. McGregor wachtte en vuurde op het juiste moment de eerste pijl af. Hij richtte op de platte snuit.

De pijl werd door de gasdruk afgeschoten, trof doel en ketste erop af. De haai draaide zich snel om en zocht in het duister een goed heenkomen.

Op een diepte van vijf meter kwam de haai terug. Weer vuurde McGregor een pijl af, die tegen de zijkant van het beest aan kwam, met als gevolg dat de haai werd afgeschrikt.

McGregor liet de derde pijl naar de bodem zakken

en zwom snel naar de oppervlakte. Even later voelde hij sterke handen op zijn schouders en werd hij aan boord gehesen. De zuurstoftanks werden van zijn rug getild, waarna hij op het dek bleef liggen, happend naar lucht. De motor werd gestart, en ze gingen terug naar Silverstone.

DEEL 3

WIT GELD

Je kunt beter rijk leven dan rijk sterven
— SAMUEL JOHNSON

15

'Goed gedaan,' zei Levett, terwijl hij de plastic zak met diamanten pakte. 'Heel goed gedaan. En nu de pijlen nog, alsjeblieft.'

McGregor schudde zijn hoofd. 'Als u die wilt hebben, moet u bij de hamerhaai zijn.'

Levett trok zijn wenkbrauwen op. 'Heb je een haai gezien?'

'Ja.'

'Spannend.'

Ze voeren weer naar het strand bij de kaap. Levett gaf een seintje naar de roerganger, die daarop stukken vlees en slachtafval overboord gooide.

'Wat doen jullie?' vroeg McGregor.

'We proberen een paar haaien te lokken,' zei Levett. Het slachtafval bleef op de golven drijven. De haaien kwamen naar de oppervlakte, grepen het vlees en doken weer onder. Er waren er minstens zes.

'Maak je maar geen zorgen,' zei Levett tegen McGregor. 'Dit betreft een voorzorgsmaatregel. We hebben liever niet dat je van boord springt en in het donker wegzwemt.'

'Dat had ik nog geen moment overwogen.'

'Fijn om te horen.' Levett keek op zijn horloge. 'Het is nu acht uur. Die vriend van je zal ongetwijfeld al in de kroeg zitten. Onze jongens zullen zich over hem ontfermen. Dan houden we alleen jou en die charmante vriendin van je over. We zullen eens bedenken wat we met jullie moeten doen.'

'Daar is geen haast bij,' zei McGregor.

'Daar is inderdaad geen haast bij,' knikte Levett.

Roger Yeoman had het bootje van het strand zien wegvaren, met McGregor aan boord. Hoewel de boot al snel door de duisternis werd opgeslokt, had hij zo'n donkerbruin vermoeden wat er aan de hand was. Hij was naar de Cockatoo teruggegaan om een pistool op te halen.

In de Cockatoo hoorde hij al bij de ingang dat het er druk en lawaaierig was. Hij ging naar binnen, liep naar de bar en zei op rustige toon tegen de barman: 'Mot.'

De barman, die net een cocktail stond te maken, vroeg, zonder zijn werkzaamheden te onderbreken: 'Mot?'

'Jah, mon. Mot met pistolen.'

'Wat moet je?'

'Vijfenveertig en een geweer.'

'Wanneer?'

'Nu meteen.'

De barman zuchtte. 'Je hebt nog wel meer nodig.'

'Hoe dat zo?'

'Twee figuren zijn naar je op zoek. Een zit daar in de hoek, de ander is buiten. Ze zullen ook nog wel wat vriendjes bij zich hebben.'

'Hoeveel denk je?'

'Ik denk vier.'

'Ken je ze?'

'Ik heb ze nog nooit gezien,' zei de barman.

'Waar zit de rest?'

De barman haalde zijn schouders op. 'Buiten, achter.'

Yeoman knikte. 'Wijs ze eens aan.'

De barman knikte in de richting van een slanke man die aan een tafeltje in de hoek zat. Zijn gezicht werd ontsierd door een litteken op zijn wang. 'Meer zijn er binnen niet.'

'Oké.'

'Hou de boel hier wel een beetje heel, mon,' zei de barman, toen Yeoman zich omdraaide.

'Ik zal mijn best doen.'

Zonder dat zijn gezicht enige emotie vertoonde, liep Yeoman naar de man in de hoek, die achter een flesje Red Stripe-bier zat. Yeoman ging tegenover de man staan en zette zijn handen op de rand van het houten tafelblad.

'Moet je mij hebben?' zei hij.

De man keek verbaasd op. 'Ben jij Yeoman?'

'Ja,' zei Yeoman. 'Heb je vriendjes?'

De man keek hem fronsend aan. 'Vriendjes?' Toen hij zijn handen onder de tafel stak, schoof Yeoman de tafel met een ruk naar voren. De man kreeg de tafelrand in zijn maag en klapte dubbel. Yeoman liet zijn vuist op het hoofd van de man neerkomen, waardoor deze met zijn kaak op het hout knalde.

De man zakte terug in zijn stoel; hij had een bloedlip en was versuft geraakt. Yeoman liep om de tafel heen, griste de revolver uit de handen van de man en trok hem overeind.

'Waar gaan we heen?'

'Naar buiten, mon,' zei Yeoman.

Met een hand had hij de kraag van de man beet, en met de andere hand drukte hij de loop van het pistool in diens rug. Zo duwde hij hem voor zich uit naar de uitgang. Daar bleef hij even staan en duwde de man toen naar buiten, het felle schijnsel van de lampen in waarmee de gevel werd verlicht.

Languit viel de man op de ongeplaveide straat.

Een tweede man verscheen uit de struiken.

'Terug, ga terug,' riep de gevloerde man, maar het was te laat. Yeoman was al naar buiten gestapt en hield de tweede man onder schot.

'Gooi je pistool weg,' zei Yeoman.

De man verstrakte in een ongemakkelijke houding en bracht toen een hand naar zijn zak.

'Langzaam,' zei Yeoman.

Heel langzaam haalde de man zijn pistool tevoorschijn en liet het wapen op de grond vallen.

'Wat hebben jullie toch een schiettuig bij jullie,' zei Yeoman. 'Hierheen.'

Aarzelend kwam de tweede man dichterbij. Toen hij vlakbij was, haalde Yeoman met het pistool uit en sloeg de man daarmee recht in het gezicht. Nog voordat de man in elkaar zakte, trof Yeoman hem met zijn vuist op de solar plexus. De man ging kreunend onderuit en bleef roerloos op de grond liggen.

Yeoman draaide zich om naar de eerste man, die probeerde overeind te krabbelen. Hij gaf hem een schop tegen zijn kaak en de man duikelde achterover.

Yeoman pakte het tweede pistool en sloop door de struiken om de kroeg heen. Het geluid van de steelband die binnen stond te spelen, had de geluiden aan de voorkant ongetwijfeld overstemd.

Achter het gebouwtje stonden een paar afvalbakken. Drie mannen gebruikten een ervan als kaarttafel; ze zaten te roken en geconcentreerd te kaarten.

Vanuit de struiken riep hij: 'Handen omhoog. Snel!'

De mannen hielden op met kaarten maar verroerden zich niet.

'Handen omhoog.'

Aarzelend staken ze hun handen in de lucht. Toen Yeoman uit de struiken tevoorschijn kwam, keken ze hem bevreemd aan, en toen, als op een afgesproken teken, kwamen ze overeind en verspreidden ze zich.

'Staan blijven.'

Ze bleven niet staan. Nog even en hij kon ze niet meer onder schot houden.

'Nu staan blijven,' zei hij rustig. Hij had al iemand uitgekozen die hij zou neerknallen: de meest linkse, de grootste van de drie.

Ze bleven nog steeds niet staan. Hij richtte, schoot, en raakte zijn slachtoffer in het been. Door de impact van het schot ging de man onderuit en rolde over de grond.

Een van de overgebleven twee liet zijn armen zakken. Yeoman aarzelde geen moment en schoot hem in de borst. Met een verbaasd gezicht werd de man achteruitgeworpen. Het bloed spoot over de man die was overgebleven.

De man die op de grond lag, probeerde zijn pistool te pakken. Yeoman pompte een kogel door zijn kop en richtte zijn pistool op de laatste man.

'Wil jij ook meedoen?'

De man schudde zijn hoofd. Wat er zich voor zijn ogen had afgespeeld, had geen zichtbaar effect op hem. Er lag een kille, berekenende blik in zijn ogen.

'Omdraaien.'

De man draaide zich om. In twee stappen was Yeoman bij hem en liet het pistool op zijn achterhoofd neerkomen. De man zakte in elkaar; Yeoman pakte het pistool af, zodat hij er nu drie had.

Hij ging weer naar binnen en legde de wapens op de toog. Tegen de barman zei hij: 'Ik zou de politie maar bellen als ik jou was.'

De barman trok zijn wenkbrauwen op. 'Iets gebeurd?'

Yeoman realiseerde zich dat de tetterende muziek alle geluiden van buiten had overstemd. 'Een beetje gedoe aan de achterkant.'

'Wie is begonnen? Dat zal de politie willen weten.'

'Ik zou het bij god niet weten,' zei Yeoman. Hij draaide zich om en liep naar de deur.

'Je bezorgt deze tent nog een slechte naam,' riep de barman hem na. Hij pakte de telefoon.

'Geen slechtere naam dan anders,' zei Yeoman.

Toen hij weer in de heuvels rond Silverstone was, walgde hij van zichzelf en was hij doodop. Eén revolver had hij gehouden, een kleine kaliber 38, maar hij had geen geweer, en dat had hij juist nodig.

Hij tuurde door de verrekijker die hij had meegebracht. Er brandde licht in het huis, maar hij zag niemand. Geef me twaalf uur de tijd, had McGregor gezegd. Dat zou Yeoman doen. Hij zou tot middernacht wachten. Het was nu twintig voor negen.

Hij stapte in zijn auto, reed dichter naar het huis toe en bleef wachten. Op de stoel naast hem lag een harpoen met een explosieve punt op de pijl.

Misschien kon McGregor een beetje vervroegde hulp wel waarderen, dacht hij.

16

McGregor keek toe hoe Levett twee glazen wodka inschonk en hem er een aanreikte. Ze waren met z'n tweeën in de imposante bibliotheek; McGregor had gekeken of hij Sylvie kon vinden, maar was daar niet in geslaagd.

'Ik ben je dank verschuldigd,' zei Levett. 'Je bent buitengewoon behulpzaam geweest.'

'Het stelde niets voor,' zei McGregor.

'Ik vind je in bepaalde opzichten een fascinerende kerel,' zei Levett. 'Ik zal je met pijn in het hart moeten laten gaan.'

'Laat u me gaan?'

'O, zeker. We hebben een passende afloop voor dit avontuur bedacht. De maffia is namelijk een zoektocht begonnen. Ze zullen onderhand wel weten dat jij in het hele verhaal een sleutelrol vervult, en overal op Jamaica zullen ze naar je op zoek zijn.'

'En zullen ze me vinden?'

'O, zeker.'

Levett liep naar het raam en keek uit over het zwembad. McGregor zag een man boven op de rotsen stukken vlees in het water gooien.

Om de haaien te lokken.

'We moeten natuurlijk wachten tot het dag is geworden,' zei Levett. 'Het tij moet een beetje meewerken.'

'Zodat ik op het strand zal aanspoelen?'

'Toe,' zei Levett. 'Niet van die morbide opmerkingen, alsjeblieft.'

'En Sylvie?'

'Daar heb ik nog geen beslissing over genomen,' zei Levett. 'Wat een charmante vrouw is dat toch.'

McGregor schudde zijn hoofd. 'Daar komt u niet mee weg, meneer Levett. Uiteindelijk zullen we u...'

'We?' Levett begon te lachen. 'Je denkt toch niet meer aan Yeoman, mag ik hopen? Die arme vent ligt ondertussen halfdood in een greppel.'

'Dat lijkt me sterk.'

Levett glimlachte en nipte van zijn wodka. 'We hebben met alles rekening gehouden,' zei hij. 'Echt, hoor.'

Een forse, zwaargebouwde man kwam de bibliotheek binnen.

'George, zou je meneer McGregor zijn kamer kunnen wijzen? En zou je erop toe willen zien dat hij zijn kamer niet verlaat?'

George knikte. Levett glimlachte naar McGregor. 'Ik zou graag nog even verder babbelen met je, McGregor, maar ik ben bang dat ik vanavond een tamelijk druk programma heb.'

McGregor werd door George meegenomen, een brede trap op naar de eerste verdieping. Hij zag en hoorde verder niemand, en vroeg zich af of Sylvie en de anderen inmiddels al waren afgevoerd.

George bromde wat en duwde hem een kleine kamer in, waar een bed en een stoel stonden. Het raam bood uitzicht op het zwembad.

'Ga op bed liggen,' zei George, 'en hou je kop.'

George had een reusachtig postuur en deed geen moeite vriendelijk over te komen. McGregor ging op bed liggen en hield zijn kop. Hij keek naar het plafond en vroeg zich af of het waar was wat Levett over Yeoman had gezegd. Als ze Yeoman inderdaad te grazen hadden genomen, en als Sylvie inderdaad was afgevoerd, zat McGregor flink in de puree.

Daar dacht hij liever niet al te lang over na.

Hij kwam tot de conclusie dat hij hier op de een of andere manier moest zien weg te komen. Hij keek naar George, die net een sigaret opstak.

'Heb je er ook een voor mij?'

'Hou je kop,' zei George.

'Ah, toe, eentje maar...'

George aarzelde even en wierp McGregor toen een sigaret toe. De man nam geen enkel risico, ondanks zijn imposante postuur. McGregor zag dat George niet gewapend was. George had natuurlijk geen wapen nodig.

McGregor stak de sigaret aan en probeerde te inhaleren zonder te gaan kuchen.

'Leuk optrekje hebben jullie hier,' zei hij. Hij stond op en liep naar het raam, met de sigaret in zijn hand.

'Ga op bed liggen,' zei George.

'Ik wil alleen maar even het raam openzetten,' zei McGregor. Hij schoof het raam open en voelde de koele avondlucht naar binnen stromen. Recht onder het raam bevond zich het zwembad, en verderop was nog steeds iemand bezig vlees in zee te gooien, om de haaien in de buurt te houden.

McGregor bleef even bij het raam staan en nam een trek van zijn sigaret. Het puntje gloeide fel.

'Bij dat raam weg. Ga weer op bed liggen.'

McGregor verroerde zich niet.

'Ga daar weg, zei ik.'

Een enorme hand pakte hem bij zijn nek en slingerde hem de kamer door, in de richting van het bed. George bleef bij het raam staan.

McGregor dook naar de deur en draaide de deurkruk om. Op slot.

George keek lachend achterom. 'Zit van buitenaf op slot,' zei hij.

McGregor liep terug naar het bed en ging zitten. George bleef bij het raam staan en keek naar buiten.

'Waar stond je net naar te kijken...'

George zweeg. Hij produceerde een gorgelend geluid en huiverde. Toen ontspande hij zich.

En viel achterover op de grond.

Uit zijn borstkas stak de schacht van een harpoenpijl. De pijl was zijn borst binnengedrongen, en de punt was geëxplodeerd, waardoor een gapend gat was ontstaan. Het raamkozijn en de vloer zaten onder het bloed.

McGregor fronste zijn wenkbrauwen. Yeoman was dus in de buurt, zoveel was duidelijk.

Hij doorzocht Georges zakken, op zoek naar sleutels. Geen sleutels. Hij keek op zijn horloge: negen uur. Hij had drie uur om weg te komen en Sylvie mee te nemen.

Hij liep weer naar de deur. Die was van massief eikenhout gemaakt, twee eeuwen oud. Misschien kon hij de pinnen uit de scharnieren krijgen en op die manier ontsnappen, maar dat kon niet zonder allemachtig veel kabaal te maken. Bovendien kostte dat veel tijd.

Een andere manier. Hij keek uit het raam naar beneden, naar het zwembad.

Hoe diep?

Hij ging weer naar de deur, drukte zijn oor ertegenaan en luisterde. Er was niemand aan de andere kant, maar wel hoorde hij gedempt iemand boos schreeuwen, een vrouwenstem. Het geluid leek van ver weg te komen, misschien van buiten, of van beneden.

Terug bij het raam hoorde hij niets. De man die vlees in zee had gegooid, was kennelijk klaar met zijn klus en liep weg, een lege zak achter zich aan slepend.

Hij bleef een paar minuten staan wachten. Er was niemand in het zwembad, en niemand lag te zonnebaden. De tegels rond het zwembad waren droog, en dat was een probleem. Als hij vanuit zijn kamer in het zwembad sprong, zou iedereen hem in het water horen plonzen, en als hij er onmiddellijk uit klom, zou hij een nat spoor achterlaten...

Hij wachtte. En toen, terwijl hij bij het raam stond, hoorde hij een vrouwenstem roepen: 'Dat lelijke kreng!'

McGregor liep naar het lijk van George. Hij pakte diens lucifers en stak de sprei en de lakens aan. Toen ze flink brandden, gooide hij de Magnumpatronen in een hoek en ging terug naar het raam.

En sprong.

17

Het leek een hele afstand, en toen hij uiteindelijk in het water belandde, klonk dat ongelofelijk hard. Het water spatte alle kanten op, over de rand.

Hij belandde op de bodem van het zwembad, haakte zijn vingers achter de openingen van de wateraf-voer, en wachtte zo lang mogelijk. Nadat er op zijn horloge negentig seconden waren verstreken, kwam hij langzaam naar de oppervlakte, bij de rand van het zwembad.

Toen hij boven water kwam, was er niemand te bekennen. Hij wachtte en tuurde toen over de rand. Er was geen mens bij het zwembad. Het was bijna niet te geloven dat niemand iets had gehoord of gemerkt. Vanuit zijn positie kon hij recht de bibliotheek in kijken, waar hij Levett ruzie zag maken met Monica Grant, alias Barbara Levett.

Barbara leek zich ergens over op te winden. Er lag een frons op haar gezicht en ze maakte wilde gebaren met haar armen.

McGregor gunde zichzelf wat tijd om op adem te komen. Hij keek omhoog naar het raam van waaruit hij de sprong had gewaagd. In de kamer was een zacht-roze schijnsel zichtbaar, en rook kolkte naar buiten.

Tijd om in actie te komen.

Hij klom op de kant, begon te rillen toen hij merkte hoe koud het was, en sloop naar de ramen van de bibliotheek. Daar kon hij horen waar de ruzie over ging.

'... dat kreng uit de weg ruimen,' zei Barbara.

'Als het moment daar is,' zei Levett, die haar een drankje aanreikte. Kennelijk mocht Barbara *wel* ijs in haar wodka.

'Ik wil haar hier weg hebben.'

'Ik verzeker je...'

'Ik wil dat ze bij Charles uit de buurt blijft.'

'Barbara, schatje toch. Als het moment daar is.'

'Dat kan me niet vroeg genoeg zijn.' Ze sloeg de wodka in één teug achterover.

'Gun Charles zijn avontuurtjes nou.'

'Over mijn lijk.'

'Barbara, ik vind dat je erg...'

Op dat moment stormde Elaine de kamer binnen. 'Er is brand uitgebroken,' zei ze. 'Op de kamer waar George en die duiker zijn.'

Levett begon te trillen en beende de kamer uit, gevolgd door de twee vrouwen. Er was niemand meer in de bibliotheek.

McGregor deed de glazen deur open en glipte naar binnen.

Boven hoorde hij mensen schreeuwen en rennen. Toen hij om zich heen keek, zag hij Barbara's handtas in een comfortabele, zware leren fauteuil liggen. Snel deed hij de tas open.

De gouden Derringer lag er nog. Hij keek hoeveel kogels erin zaten. Zes stuks, kaliber 22.

Hij stak het pistool bij zich. Boven hoorde hij nu mensen kuchen. De rook kwam door de kieren van de vloer en vormde een vaalblauwe nevel tegen het plafond. Er klonken drie schoten – dat waren de patronen die nu tot ontploffing waren gekomen. Er werd geschreeuwd.

Hij liep naar de gang en bleef staan luisteren. Hij hoorde het luide gesis van een brandblusser.

Als Sylvie boven was geweest, zou ze inmiddels wel beneden zijn. En als ze niet boven was geweest...

Hij rende naar de achterkant van het huis, naar een gedeelte waar hij nog niet had gekeken. Hij kwam langs de vertrekken van het personeel en rook etensgeuren: hij naderde de keuken.

In de keuken brandde geen licht. Toen hij binnenkwam, dacht hij dat hij alleen was, maar toen hoorde hij iemand giechelen. Aan de andere kant van de ruimte zag hij twee gestalten, die elkaar omhelsden.

De ene was Sylvie. Hij kon wel raden wie de andere was.

Hij sloop naar de man toe en tikte hem op de schouder. Toen de man zich omdraaide, ving McGregor nog net een glimp op van Waynes verschrikte gezicht voordat hij de man een vuistslag verkocht.

Wayne zakte in elkaar.

Sylvie keek hem met een gereserveerde blik aan. 'Wat duurde dat lang.' Ze spoog op het roerloze lichaam. 'Wat een gore vent is dat.'

McGregor nam haar bij de arm. 'Dit is niet het moment om sentimenteel te gaan doen,' zei hij. Hij liep met haar naar buiten. Op het gazon achter het huis was het koel en stil; de kreten en de consternatie door de brand klonken hier niet door.

'Goed,' zei McGregor. Hij wees naar een pad dat langs het huis voerde. 'Laten we maken dat we wegkomen.'

Op dat moment hoorden ze gegrom. McGregor draaide zich om en zag twee katten, die vanuit de schaduwen in het licht stapten.

Fido en Fiona. Gevolgd door Elaine. Er lag een grimmige lach om haar mond. 'Gaan jullie nu al weg?' zei ze.

18

Yeoman had het allemaal gezien: hoe de rijzige zwarte man achteroverviel nadat hij door de harpoenpijl was geraakt, hoe er even later brand was ontstaan en hoe McGregor in het zwembad was gesprongen.

Hij had zich toen afgevraagd wat hij nog meer kon doen.

McGregor had expliciet gezegd dat hij twaalf uur moest wachten. Misschien had hij tot die tijd nog geen hulp nodig.

Aan de andere kant zou hij het misschien niet erg vinden als er toch eerder versterking kwam opdagen.

Yeoman stapte in zijn auto en reed naar het huis toe. Bij de openstaande poort trapte hij het gaspedaal diep in en reed het terrein op, ineengedoken toen hij langs het wachthuisje kwam. Dat was nergens voor nodig, want er was geen bewaker aanwezig. Toen hij in volle vaart het grindpad op reed, zag hij iemand rennen, gekleed in een kakiuniform.

De bewaker.

Te laat. De man had zich al omgedraaid, zag hem en trok zijn pistool.

Yeoman trapte het gaspedaal vol in. Een kogel versplinterde de voorruit, en er ging een trilling door de auto toen de bewaker geschept werd en van de bumper af stuiterde. Yeoman reed door naar het huis. Op de trappen aan de voorkant zag hij nog een bewaker staan.

Met een mitrailleur in zijn handen.

Kogels sloegen zijn koplampen aan diggelen en raakten de banden, waardoor de auto als een idioot ging slingeren en tot stilstand kwam tegen een palmboom die langs de oprijlaan stond. Versuft kroop Yeoman uit de auto, terwijl de schutter een kogelregen op de auto en de bomen liet neerkomen.

Hij dook achter de auto in het gras. Er klonk weer een mitrailleursalvo, en daarna werd het stil. Hij pakte de harpoen en sloop weg. In de kleine tuin bleef het doodstil. Hij had geen zicht op de voorkant van het huis, maar hij hoorde twee mannen naar elkaar schreeuwen.

Snel rende hij naar de zijkant van het huis en keek om het hoekje. De man met de mitrailleur had zich achter een van de zuilen verschanst.

Hij wachtte af. Toen hij omhoogkeek, zag hij dat er vlammen uit een openstaand raam kwamen, en dat het dak vlam vatte.

Even later vielen er smeulende dakspanen naar beneden.

De man met de mitrailleur keek omhoog, deinsde achteruit en kwam vanachter de zuil tevoorschijn.

Yeoman vuurde de harpoenpijl af. Er klonk het gesis van gas, en toen raakte de pijl doel en explodeerde. De man liet zijn mitrailleur vallen; het wapen viel kletterend over de traptreden naar beneden en bleef aan de voet ervan liggen.

Yeoman rende naar het wapen toe, raapte het op, richtte de loop op de bomen en haalde de trekker over.

Er gebeurde niets.

Weer haalde hij de trekker over. Het wapen zat

vast. Gefrustreerd wierp hij het van zich af, trok het pistool tevoorschijn, deed de deur open en rende naar binnen.

McGregor draaide zich van zijn belager af toen een van de ocelots hem aanviel. Hij voelde klauwen die zich in zijn rug en schouders boorden. Zijn shirt werd aan flarden gereten; de grommende katachtige had hem te pakken.

Hij was niet bedacht op het gewicht van het beest en ging onderuit. Vlijmscherpe tanden zonken in zijn arm; pijnscheuten vlamden naar zijn schouder.

Terwijl hij over de grond rolde, zag hij dat de tweede kat dichterbij kwam. McGregor zette de loop van het pistool tegen de kop van de eerste kat en schoot.

De bek verslapte, en het dier viel van hem af.

'Fiona! Je hebt Fiona vermoord!' gilde Elaine.

Ze rende op McGregor af, maar Sylvie onderschepte haar, liet haar struikelen en dook boven op haar.

Fido had zich ondertussen krijsend op McGregor geworpen. De Derringer gleed uit zijn hand toen de kat zijn tanden in zijn pols zette. Hij slaakte een kreet van pijn.

Hij rolde met het beest over de grond, voelde de hete adem, rook de dierlijke geuren. Hij probeerde de ocelot van zich af te schudden, maar het beest was fel en sterk. De klauwen haakten in zijn borst; zijn shirt was helemaal aan flarden gescheurd.

En toen, ineens, was de kat verdwenen.

Verbaasd keek hij op.

De kat lag op de grond en verroerde zich niet. De kop was verbrijzeld.

Een bekende stem zei: 'Hulp nodig, mon?'

Yeoman kwam er op een drafje aan. McGregor zei: 'Je moet wel heel goed met dat ding overweg kunnen', wijzend op het wapen.

'Tuurlijk,' zei Yeoman. 'Tuurlijk.'

Hij keek naar Elaine en Sylvie, die krijsend en klauwend over de grond rolden.

Zonder verder nog iets te zeggen, liep hij naar hen toe en haalde hen uit elkaar. Elaine keek verschrikt op voordat Yeoman het pistool op haar hoofd liet neerkomen. Zachtjes zakte ze door haar knieën.

Sylvie gaf haar een schop.

'Iegh,' zei Sylvie. 'Walgelijk.'

'Jullie lijken haar gezelschap niet op waarde te schatten,' zei een stem achter hen. 'Jammer.'

McGregor draaide zich om.

Levett, met Barbara naast zich, stond in de deuropening. Hij had een mitrailleur in zijn handen.

19

'Ik heb niets dan bewondering voor je,' zei Levett. 'Je hebt ons op een heel slimme manier om de tuin geleid. En je vriend heeft zich verbazingwekkend snel hersteld, mag ik wel zeggen.'

Hij draaide zich om naar Yeoman en vuurde een schot af. Yeoman werd door het schot opzij geworpen en viel achterover in de donkere struiken. Het was een afschuwelijk gezicht om hem zo te zien liggen.

McGregor maakte aanstalten om naar hem toe te gaan.

'Nee,' zei Levett. 'Staan blijven. Anders knal ik het meisje neer.'

De struiken bewogen niet meer. McGregor zag de linkervoet van Yeoman, op een vreemde manier verdraaid.

Hij bleef staan.

Barbara liep naar Sylvie toe, greep haar bij de arm en voerde haar weg. Levett hield zijn blik op McGregor gericht. 'Deze kant op,' zei Levett. Hij wees met de loop van het wapen naar het zwembad. 'We moeten opschieten.'

Brandende dakspanen vielen in het gras.

'Het schema is wat vervroegd,' zei Levett. In zijn hand hield hij de plastic zak met de diamanten. 'Een kink in de kabel, maar geen onoverkomelijk probleem. Het is tijd voor je laatste duik, McGregor.'

Hij keek naar de bloedende wonden die McGregor

aan zijn gevecht met de ocelots had opgelopen. 'De haaien zullen van je smullen.'

McGregor liet zich meevoeren langs de zijkant van het huis, langs het zwembad, naar de rand van de rotsen. Vijftien meter lager, in het donker, zag hij de kalme zee en de brekende golven.

Hij voelde zich misselijk. Yeoman was voor zijn ogen neergeknald, en God mocht weten wat er met Sylvie zou gebeuren.

'Springen,' zei Levett. Hij kwam dichterbij. 'Alsjeblieft.'

'Nee,' zei McGregor.

'Dan zal ik me genoodzaakt zien je overhoop te schieten.'

'Maar dat zou het hele plan in de war schoppen,' zei McGregor.

'Toch moet ik dat dan maar doen.'

McGregor haalde zijn schouders op. Hij was moe. Het kon hem allemaal niets meer schelen. Hij keek nog eens naar de golven in de diepte.

Alles was beter dan levend die doodsmak maken. Alles.

'In het been dan maar,' zei Levett. Hij richtte het pistool op McGregors been.

'Een fijne reis, McGregor.'

Er klonk een schot.

McGregor verstrakte om zich schrap te zetten tegen de kogel die zich in zijn been zou boren, maar tot zijn verbazing gebeurde er niets met hem. Levett daarentegen tolde om zijn as en viel voorover. De zak met diamanten vloog omhoog en scheurde open, en alle juwelen vielen fonkelend als sterren in de afgrond.

Kreunend van de pijn zakte Levett op de grond, rolde over de rand van de rotsen en viel met een kreet naar beneden.

Daarna een plons.

McGregor keek achterom en zag Yeoman uit de struiken komen, met een revolver in zijn hand. Yeoman glimlachte.

'Hoe is het, mon?'

'Prima,' zei McGregor, die zijn ogen bijna niet kon geloven. 'Ik dacht dat je...'

'Welnee,' zei Yeoman. 'Dat schot ging meters naast. Gewoon een afleidingsmanoeuvre.'

Nog steeds kwamen er brandende dakspanen naar beneden, die sissend in het zwembad belandden.

'Ik stel voor,' zei Yeoman, 'dat we hier weggaan.'

Ze gingen weg.

20

'Ik zit er wel mee,' zei Burnham, die toekeek hoe de politiearts jodium op McGregors rug deed.

'Dat hoeft niet,' zei McGregor.

'Ik had liever gezien dat u de politie had gebeld.'

'Ik dacht dat jullie te weinig mankracht hadden en dat de werkdruk zo hoog was.'

'Ja, maar...'

'Ik dacht dat ik achtenveertig uur gekregen had.'

'Dat is waar, maar...'

'Daarom heb ik het zelf maar opgelost.'

'Dat is juist waar ik mee zit,' zei Burnham. 'Twee dooien in de Cockatoo.'

'Een vechtpartijtje.'

'Plus vier doden bij Silverstone. Plus een aangevreten lijk op het strand, en het huis in de fik.'

'Zulke dingen gebeuren nu eenmaal.'

'Dat lijkt me sterk.'

'Het is uw taak,' zei McGregor, 'om mensen ervan te overtuigen dat zulke dingen nu eenmaal gebeuren. En verder hebt u twee getuigen. Barbara Levett, de schoonzus van Mr. Bad News. En Elaine.'

'Dat is waar,' zei Burnham. 'Twee getuigen... Of eigenlijk drie.'

Er viel een stilte.

McGregor zweeg een hele tijd. Burnham keek hem onderzoekend aan en zei toen: 'Neemt u haar nog steeds in bescherming?'

'Nee, eigenlijk niet.'

'Wilt u misschien zelf met haar afrekenen?'

'Ik weet het niet,' zei McGregor.

'Maar u weet wel hoe het zit?'

'Ik had zo mijn vermoedens,' zei McGregor. 'Eigenlijk al vanaf het begin. Ik sta namelijk gewoon in het telefoonboek, maar het is niet altijd makkelijk om me aan de lijn te krijgen. Dat gold met name voor die eerste nacht, toen ik bij Sylvie was. Daar hebben ze me gebeld. Degene die wist dat ik daar te bereiken was nadat ik thuis niet opnam, wist heel wat van me.'

'En toen besloot u om het spelletje mee te spelen?'

'Ja. Ik wilde weten of zij er iets mee te maken had.'

Burnham knikte.

'Maar dat weet ik nu. Alles ging te makkelijk. Ze wisten allerlei dingen van me, kenden mijn gewoontes. Iemand moet ze hebben ingelicht.'

'En haar geld hebben gegeven,' zei Burnham met een knikje.

'Ja ja, wrijf het nog maar eens in.'

'Het is gewoon een feit,' zei Burnham. 'Ze hebben in Martinique een bankrekening op haar naam geopend. Vijftigduizend dollar – de erfenis van een niet-bestaande oom in St. Lucia.'

'Witgewassen geld,' zei McGregor.

'Ja.'

Weer viel het even stil. McGregor schudde zijn hoofd. 'Ik denk dat ik een heel interessant gesprekje met haar ga voeren.'

'Dat betwijfel ik,' zei Burnham. 'Ze is vanmorgen om zes uur op het vliegtuig gestapt.'

'Richting Martinique?'

'Santo Domingo. En daarna...' Burnham haalde zijn schouders op. 'Ze kan overal naartoe.'

McGregor nam een slok van zijn rum collins. 'Zal ik u eens wat vertellen?' zei hij. 'Ondanks alles zal ik haar missen.'

'Dat zou ik niet doen als ik u was,' zei Burnham. 'Ze zou u met het grootste plezier hebben zien sterven, zonder dat het haar iets deed.'

McGregor zweeg.

'In zekere zin was dat gedicht heel toepasselijk,' zei Burnham.

'Gedicht? Welk gedicht?'

Burnham zuchtte. 'Ik probeerde het u al eerder uit te leggen. In de naam van dat jacht, de *Grave Descend*, lag verscholen wie de eigenaar ervan was. Want meneer Levett was een geleerd man, weet u.'

'Hij wist alles van Samuel Johnson.'

'Klopt. Kent u het gedicht dat Johnson heeft geschreven naar aanleiding van de dood van de medicus Robert Levett?'

'Nee.'

'Het is een tamelijk beroemd gedicht. De eerste strofe eindigt als volgt:

See Levett to the grave descend,
Officious, innocent, sincere
Of ev'ry friendless name the friend.

'Charmant,' zei McGregor.

'Ik dacht al dat u het mooi zou vinden.'

Yeoman vond hem bij zijn pick-up, waar hij de zuurstoftanks en regulators nakeek.

'Wat gaat er gebeuren, mon?'

'Ik ga weer duiken.'

'Waar?'

'Bij de kaap. Weet je dat we helemaal geen beloning krijgen voor wat we gedaan hebben?'

'Ja, maar...'

'Ik vind dat ik daar wel recht op heb. Ik heb de politie verteld dat er rond de kaap een sterke, verraderlijke stroming staat.'

'Bij die kaap? Welnee. De zee is daar zo kalm als wat.'

'Precies.'

Yeoman keek hem fronsend aan. 'Gaan we weer op pad?'

McGregor zei: 'Mij is gevraagd of ik zin had om samen met iemand een hotel op Grand Bahama te gaan runnen. Ik denk dat het tijd wordt om op dat aanbod in te gaan.'

'En het duikgebeuren...'

'Laat ik aan jou over,' zei McGregor. Hij stapte in de pick-up. 'Kom. Ik heb kapitaal nodig. We moeten toch zeker zes of zeven van die steentjes kunnen vinden.'

Yeoman stapte in. Ze reden weg en namen de kustweg bij Ocho Rios. Na een tijdje vroeg Yeoman: 'Mis je haar?'

'Nee,' zei McGregor. 'Jezus, nee, man.'

Hierna volgt een fragment uit:

MICHAEL CRICHTON

SCHRIJVEND ALS JOHN LANGE

ZERO COOL

VIDEO-INTERVIEW

'Zit je lekker, opa?'
Peter Ross moest even slikken toen hij hoorde hoe hij werd aangesproken. Hij leunde achterover in zijn stoel en keek naar zijn elfjarige kleinzoon Todd, die door een kleine videocamera naar hem tuurde. 'Prima, Todd.' Peter Ross schraapte zijn keel. Ze zaten in zijn vakantiehuis in Cape Cod, een weekendje met de hele familie: zijn zoon James, zijn dochter Emily, en hun kinderen. Onder wie zijn oudste kleinzoon.

'Dit is een video-interview met mijn opa, Peter Ross. Hij is dokter en de baas van de afdeling radiologie van het Boston Memorial Hospital. Ben je er klaar voor, opa?'

'Ik ben er klaar voor, Todd. Wat mij betreft, kunnen we beginnen.' Buiten hoorde hij kinderen lachen; ze holden over het gazon naar het strand. Het liefst zou hij naar buiten gaan, maar hij had al weken geleden toegezegd dat hij Todd met deze opdracht voor school zou helpen.

'Ik wil graag dat je iets vertelt over je begintijd als dokter.'

'Dat is niet erg interessant, hoor,' zei Ross. 'Ik heb in de jaren zestig medicijnen gestudeerd en heb toen als specialisatie radiologie gedaan. Daar was weinig spannends aan.'

'Dat is niet wat ik heb gehoord.'

'Hoe bedoel je?'

'Vertel eens over je eerste lezing als radioloog, op een congres in Spanje...'

Ross fronste zijn wenkbrauwen. 'Hoe weet je dat?'

'Wanneer was dat precies?'

'Dat was in 1967.'

'Wauw. Hoe oud was je toen?'

'Zesentwintig ongeveer.'

'Is het waar dat je toen bijna door gangsters bent doodgeschoten?'

'Niet helemaal.' Hij had al in jaren niet meer aan die tijd gedacht. Het hele avontuur leek in een vorig leven te hebben plaatsgevonden, zo lang geleden was het inmiddels.

'Er was toch ook een dode Arabier? Ze dachten toch dat jij hem had vermoord?'

'Van wie heb je dat?'

'Van papa.'

'Dan heeft hij het mis.'

'Oké,' zei Todd. 'Wat is er dan echt gebeurd?'

Ross schudde zijn hoofd. 'Dat is lastig uit te leggen,' zei hij. 'Ik was in die tijd best eigenwijs. Ik dacht dat ik alles wel zo'n beetje wist. Ik vatte het leven niet al te zwaar op. Ik had net hard zitten te blokken om mijn studie af te ronden, ik was doodop en vond dat ik wel een maandje vakantie had verdiend. Iedereen die in die tijd jong was en iets wilde beleven, ging naar de Spaanse kust.'

'Dus daar ben je toen naartoe gegaan?' vroeg Todd.

'Inderdaad.'

'Voor chickies?'

'Ik was zesentwintig.'

'Dus hoewel je al oud was, wilde je toch nog chickies scoren?'

Peter Ross glimlachte. 'Precies.'

'Ging je naar clubs?'

'Dat noemden we dancings.'

De videocamera zoemde. 'En waarom kreeg je de politie achter je aan?'

Peter Ross zei: 'Dat is een heel verhaal.'

'Ben je toen bijna vermoord?'

'Vanaf het moment dat ik in Spanje aankwam, was het linke soep,' zei Ross. Hij zuchtte. 'Een meisje dat ik tegenkwam, vond me maar een saaie pier. Ze zei dat ik "zero cool" had, dus dat ik drie keer niks was...'

DEEL 1

Radiologen zien alles zwart-wit.
— D.D. MCGOWAN, ARTS

DEEL I

PROLOOG
DE ZESDE VERDIEPING

De schedel was op vijf plaatsen verbrijzeld. Er waren fracturen zichtbaar van beide jukbogen, van het linkerwandbeen en van het kaakgewricht, en de neus was op twee plaatsen gebroken.

Peter Ross zat in de donkere kamer op de zesde verdieping en tuurde naar de röntgenfoto's op de lichtkast. Naast hem zat Jackson, de plastisch chirurg.

'Wat een puinzooi,' zei Ross. 'Ga je hem vanavond nog oplappen?'

'Als dat gaat. Hij is nog steeds niet bij bewustzijn. Maar wat wil je ook? Ze hebben hem uit de auto moeten zagen.'

'Veel succes,' zei Ross. Hij plukte de röntgenfoto's van de matglazen lichtkast en gaf ze aan Jackson. 'Daar zul je de rest van de avond wel mee zoet zijn.'

'Weet ik,' zei Jackson. 'Maar we kunnen dit niet uitstellen. Van zijn gezicht is bijna niets meer over, weet je. Net of het is ingedeukt.'

Ross schudde zijn hoofd. Sommige mensen reden als gekken, namen onverantwoord veel risico. Op een gegeven moment was je dan vanzelf aan de beurt. 'Had hij gedronken?'

'Zo te ruiken wel, ja.' Jackson pakte de foto's en deed ze in een map. 'Ik ga naar de OK. De operatie wordt al voorbereid. Ik heb trouwens gehoord dat je ons gaat verlaten.'

'Dat klopt,' zei Ross. Hij deed de lichtkast uit.

'Heb je je tentamens gehaald?'

Ross knikte.

'Gefeliciteerd. Waar ga je naartoe?'

'Ik ga eerst naar het jaarcongres van het Amerikaanse genootschap van radiologen,' zei Ross.

'O? Waar is dat?'

'Barcelona.' Ross keek hem grijnzend aan.

'Linkmiegel. Hoe lang?'

'Het congres duurt een week. Maar ik heb er een maand voor uitgetrokken.'

'De Costa Brava?'

'Ja.'

'Ervoor of erna?'

'Nou, eigenlijk allebei,' zei Ross, die nu van oor tot oor straalde. 'Ik heb even wat rust nodig.'

'Veel rust zul je daar niet krijgen,' zei Jackson. 'Rond deze tijd van het jaar stikt het in die contreien van de Engelse en Zweedse meiden.'

'Meen je dat?' vroeg Ross alsof hij de onschuld zelve was. 'Daar weet ik helemaal niets van.'

'Vast niet.'

Ze verlieten het radiologisch lab en liepen naar de liften. Het was al laat; er was verder niemand meer op de afdeling aanwezig.

'Ik heb gehoord dat de stranden zo vol liggen met meiden dat je praktisch geen zand meer ziet,' zei Jackson om het gesprek gaande te houden.

'Ik zal het onderzoeken.'

'Ik heb gehoord,' ging Jackson verder, 'dat ze allemaal staan te springen om mannen te ontmoeten, ook mannen die geen greintje charme bezitten.'

'Bof ik even.'

'Ik heb gehoord,' zei Jackson zuchtend, 'dat het stuk voor stuk wilde, aantrekkelijke en gigantisch sexy meiden zijn.'

'Ik zal het tot op de bodem voor je uitzoeken,' zei Ross.

De lift kwam. Jackson drukte op de knop voor de tweede verdieping; Ross moest naar de begane grond.

'Ga je daar in Spanje trouwens nog iets doen,' zei

Jackson, 'behalve alle avonden de dancings onveilig maken?'

'Nou, eigenlijk wel,' zei Ross. 'Ik moet op het congres een praatje houden.'

'Dat meen je niet. Waarover?'

'Differentiële diagnose van intestinale obstructie bij zuigelingen.'

'Niet te geloven, zeg. Waar heb jij de tijd vandaan gehaald om zo'n lezing voor te bereiden? Je zat elke vrije minuut bij die verpleegster op de vijfde verdieping...'

'Kindergeneeskunde,' zei Ross. 'Ik heb veel aan haar gehad.'

'Kun je nooit eens serieus zijn?'

'Als het even kan niet, nee.'

'Hier moet ik eruit,' zei Jackson. De liftdeuren zoefden open. De klapdeuren verderop in de gang leidden naar de operatiekamers. Jackson bleef even staan en draaide zich naar Ross om.

'Ik hoop dat je een beetje volwassen bent als je terugkomt.'

'Lijkt me sterk.'

Grijnzend liet Ross zich met de lift naar de begane grond brengen. Met snelle pas liep hij het parkeerterrein op en stapte in zijn auto. Hij reed naar zijn flat en pakte snel zijn koffers, ontspannen een onbestemd liedje fluitend.

Het was een avond in juli, vrijdag de dertiende.

1

TOSSA DE MAR

De eerste dag viel niet mee. Hij bleef te lang in de zon zitten, waardoor hij ernstig verbrandde en 's nachts slecht sliep. Steeds ontwaakte hij uit dezelfde droom. Hij was in het ziekenhuis en werd opgepiept. Hoewel het om een spoedgeval ging, kon hij het niet opbrengen de oproep te beantwoorden. Die nacht werd hij vijf keer wakker, en steeds greep hij automatisch naar de telefoon op het nachtkastje. Een keer pakte hij de hoorn zelfs van de haak en zei gejaagd: 'Met dokter Ross. Wat is er aan de hand?'

Het bleef een hele tijd stil, en toen zei een verschrikte Spaanse stem: '*Señor*? Aan de hand?'

'Laat maar. Neemt u me niet kwalijk.'

Hij legde weer op, ging liggen en kon zich maar moeilijk ontspannen. Na vier jaar in het ziekenhuis voortdurend diensten te hebben gedraaid, viel het niet mee om lekker in de zon te gaan liggen bakken. Het was een hele overgang om ineens geen verantwoordelijkheid meer te hoeven dragen, niet meer uit je bed gebeld te worden, 's nachts ongestoord te kunnen slapen zodat je de volgende ochtend niet zo duf als een konijn was. Hij was een masochist, dat was het punt. Vier jaar lang had hij problemen, ellende en pijn het hoofd moeten bieden.

Nu moest hij het zonder die rampspoed stellen. Wat een gedoe: had je eindelijk vakantie, kreeg je het gevoel dat er iets ontbrak. Op een gegeven moment probeerde hij iets te bedenken waarover hij zich zorgen kon maken. Maar er was eenvoudigweg niets om je zorgen over te maken. Hij zat in Spanje, vijfduizend kilometer van zijn ziekenhuis, zijn werk, zijn leven. Niemand kende hem hier, en niemand maakte zich druk om hem.

Als hij zich maar kon ontspannen, dan was het goed. Op een gegeven moment, zo dacht hij, zou hij er zelfs van leren te genieten.

De ochtend van de tweede dag werd hij door de hotelmanager aangesproken toen hij naar buiten wilde gaan.

'Dokter Ross?'

'Ja?'

'Verwacht u bezoek?'

'Bezoek? Nee.'

'Gisteravond was er een man die naar u vroeg. Ik denk althans dat hij naar u op zoek was.'

'Wat voor man?'

'Een Amerikaan, gedistingeerd type, met zilvergrijs haar. Een buitengewoon beschaafde man.'

'Wat zei hij?'

De manager keek hem enigszins verward aan. 'Nou, hij meldde zich bij de receptie en vroeg: "Is hier ook een dokter?" Eerst dacht ik dat hij misschien gewond was, maar dat bleek niet zo te zijn. Dus daarom vroeg ik: "Welke dokter?" omdat we namelijk ook nog een Franse dokter uit Arles te gast hebben. En toen zei hij: "De Amerikaanse dokter."'

'En?'

'Ik zei toen dat hij waarschijnlijk dokter Ross bedoelde, en hij zei dat dat precies het geval was.'

'En toen?'

'Toen deed hij iets merkwaardigs: hij bedankte me en ging weg. Een uiterst welgemanierde, ontwikkelde gentleman.'

'Heeft hij gezegd wie hij was?'

'Nee,' zei de manager. 'Hij zei dat hij wel contact met u zou opnemen.'

Waarschijnlijk had het iets te maken met de lezing die hij volgende week op het congres moest houden, dacht Ross. Hij knikte. 'Prima. Als hij zich nog een keer meldt, wilt u dan vragen of hij een berichtje achter wil laten? Ik denk dat ik vandaag weinig te bereiken ben.'

'Gaat u naar het strand, meneer Ross?'

'Inderdaad,' zei Ross. 'Ik ga naar het strand.'

Het strand van Tossa de Mar zou nooit in de prijzen vallen. Het zand was smerig, grofkorrelig, en het schuurde tegen de huid. Overal lagen lege flessen, papieren bekertjes en half opgegeten etenswaren. De wind van zee was warm en verstikkend.

Maar aan de andere kant was het strand nauwelijks zichtbaar door de veelheid aan meiden die er lagen. Jackson had gelijk gehad: het stikte ervan. Ze hadden zich ingesmeerd met een dikke laag olie en lagen zij aan zij te bakken in de zon. Er waren meiden uit Zweden, Frankrijk, Italië en Engeland, lange en gedrongen, slanke en mollige meiden, meiden in kleine bikini's, in nog kleinere bikini's, en meiden met nauwelijks iets aan hun lijf. Er waren blondines en brunettes, sexy meiden en schattige meiden, alledaagse meiden en knappe meiden.

En er was nauwelijks een kaper op de kust.

Bijna te mooi om waar te zijn, vond Ross. Hij liep langs het water met een flesje bier in de hand en voelde zich kiplekker. Sommige meiden wierpen hem onverholen blikken toe, andere deden tevergeefs of ze hem niet zagen. Niet dat het iets uitmaakte. Integendeel.

Op een gegeven moment zag hij een meisje dat werkelijk adembenemend mooi was. Ze had zwart haar, lange benen, en droeg een knalroze bikini. Ze lag met gesloten ogen te zonnen en leek in slaap te zijn gevallen. Hij liep naar haar toe, boog zich over haar heen en genoot van het uitzicht. Zijn zonnebril was door de zonnebrandcrème echter zo glibberig geworden dat het ding van zijn neus gleed en een zachte landing op haar strakke buik maakte.

Ze deed haar ogen open, die helderblauw waren, en

keek hem aan. Toen pakte ze zijn zonnebril.

'Is deze voor mij?'

'Nou, eh… nee, niet echt.'

Ze haalde haar schouders op en gaf de bril terug. 'Ik zou in het vervolg wat voorzichtiger zijn als ik jou was.'

'Ik zal eraan denken.'

'Het volgende meisje geeft die bril misschien niet meer terug. Dan heb je een probleem.'

'Dan heb ik een probleem en geen zonnebril meer.'

'Dan raak je ongetwijfeld verzeild in een verstikkende romance met een of andere secretaresse. Dat overleef je niet.'

'Ik moet er niet aan denken,' zei hij met een grote grijns.

'Het went vast wel.'

Ze keek hem onderzoekend aan. 'Je bent een dokter,' zei ze.

Verbaasd zei hij: 'Hoe weet je dat?'

'Dokters zien er altijd zo schoon uit.' Ze wees naar het bierflesje in zijn hand. 'Is dat een koud biertje?'

Hij knikte. Ze strekte haar arm, pakte het flesje en nam een slok. Hij bleef wat ongemakkelijk staan.

'Als je van plan bent me te versieren,' zei ze, 'kun je net zo goed gaan zitten. Is minder vermoeiend.'

Hij ging zitten. Ze nam nog een slok, gaf het flesje terug en veegde haar mond met de rug van haar hand af.

'Vind je ze zo fascinerend?' vroeg ze.

'Wie?'

'Mijn borsten. Je zit er de hele tijd naar te kijken.'

'Ze zijn erg mooi.'

'Dank je,' zei ze. Ze verschoof haar bikini en ging weer in het zand liggen. 'Zeg je dat beroepshalve?'

'Niet helemaal,' zei hij.

'Ben je hier op vakantie?'

'Ja.'

'Getrouwd?'

'Nee.'

'Dan hebben we iets gemeen,' zei het meisje. 'Vertel eens wat over jezelf.'

Hij haalde zijn schouders op. 'Er valt niet veel te vertellen. Ik heet Peter Ross en ben radioloog. Ik heb net mijn specialisme afgerond, nadat ik me vier jaar lang niet buiten de muren van het ziekenhuis heb gewaagd. Nu ga ik een maand in de Spaanse zon zitten en verder lekker helemaal niets doen.'

'Behalve meisjes versieren.'

'Als dat kan,' knikte hij.

'O, dat kan, hoor. Je hebt misschien al wel gemerkt hoe goed dat kan.' Ze keek hem aan. 'Je hebt een leuke lach. Amerikanen lachen altijd zo leuk, vind ik. Zo'n aanstekelijke lach. Mag ik nog een slokje van je bier?'

Hij reikte haar het flesje aan.

'Je zult ook wel willen weten wie ik ben,' zei ze. 'Angela Locke. Uit Engeland. Ongelukkige jeugd gehad. Stewardess geworden. En ook op vakantie.'

Ze gaf de fles terug, leeg. Uit haar tas haalde ze sigaretten, stak er een op en keek hem aan. 'Hoeveel brillen heeft dat trucje van je je nu al gekost?'

'Het was geen trucje. Het ging per ongeluk.'

'Juist.' Ze glimlachte.

'Als ik je dan toch aan het versieren ben,' zei hij, 'zullen we dan samen gaan lunchen?'

'Natuurlijk.'

'En vanavond samen uit eten?'

'Misschien.' Ze schonk hem een loom lachje. 'Als je daar dan nog zin in hebt.'

'O, jawel, hoor.'

'Ik ben heel duur in onderhoud, hoor,' zei ze. 'Weet je zeker dat je wat met me wilt beginnen?'

'Ik waag het erop.'

Een opgewonden Spanjaard rende naar Ross toe. De man was klein van stuk, had een donkergetinte huid, droeg een spijkerbroek en een eenvoudig hemd en was op blote voeten. Hij keek zenuwachtig om zich heen, had even tijd nodig om op adem te komen, en zei in gebrekkig Engels: 'Dokter! De God gedankt dat ik u heb gevonden!'

Ross kende de man niet. 'Is er iets aan de hand?'

'Iets aan de hand? Nee. Niets is aan de hand. Komt u met me mee, alstublieft. We moeten praten.'

'Nu meteen?' Hij keek naar het meisje. 'Ik ben even bezig.'

'Nee, nee, het is een spoedig geval. Ik moet praten met u. Nu.' Hij sprak gehaast, met een zwaar Spaans accent, en keek voortdurend om zich heen. Hij pakte Ross bij de arm. 'Alstublieft, komt u mee. Kom!'

'Waarheen?'

'Een eindje die kant op. Niet zo ver.'

Ross aarzelde even en kwam toen overeind. Tegen het meisje zei hij: 'Sorry, dit moet even.'

Het meisje had alles met een lome blik gadegeslagen. Ze leek totaal niet verrast en haalde haar schouders op.

'Ben je hier straks nog als ik terugkom?' vroeg Ross.

'Waarschijnlijk wel,' zei ze. Ze ging weer in de zon liggen en deed haar ogen dicht.

De kleine man trok aan zijn arm. 'Kom mee, dokter, kom.'

'Goed,' zei Ross.

Ze liepen het strand over, in de richting van het water. Het was het warmste tijdstip van de dag. Kinderen speelden in de golven, van een afstandje in de gaten gehouden door kindermeisjes. Een paar ernstig kijkende meisjes in bikini voelden met hun zorgvuldig gepedicuurde tenen of het water warm genoeg was. De kleine man liep met opgewonden pas naast Ross.

'Dokter,' zei hij met gedempte stem, 'u weet niet wat u te wachten staat.'

'Hè?'

'Doe het niet, dokter. Doe het niet.'

'Waar heeft u het over?' Even dacht Ross dat de man het over het meisje had en dat hij hem voor haar wilde waarschuwen. Maar dat was absurd. 'Hoe weet u dat ik dokter ben?'

'Dokter, het is beter als u onmiddellijk dit land verlaat.'

'*Hè?*'

'Dat is echt het beste,' zei de Spanjaard. 'Echt.'

'Maar ik ben hier net.'

'Ja, echt het beste,' benadrukte de Spanjaard.

'Waarom?'

'Daarom.'

'Hoezo daarom?'

'*Omdat u de autopsie niet moet doen,*' zei de Spanjaard met gedempte stem.

'Autopsie? Wat voor autopsie?'

De man maakte een ongeduldig wegwuivend gebaar. 'Alstublieft, dokter, dit is niet het moment. Ik ben als vriend naar u toe gekomen, om u te waarschuwen. Doe de autopsie niet.'

'Ik heb geen idee waar u het over heeft,' zei Ross. Hij begon er langzamerhand schoon genoeg van te krijgen. De opgewonden gek die huppelend naast hem liep, vertelde hem eerst plompverloren dat hij het land maar beter kon verlaten, en bazelde verdomme ook nog eens over een of andere autopsie. Jezus: de laatste keer dat hij bij een autopsie aanwezig was geweest, was tijdens de basisopleiding.

'Dit betreft veel ernst,' zei de man. 'Er staat veel op het spel. Ik verzoek u te zweren dat u de autopsie niet zult verrichten.'

'Welke autopsie?' zei Ross weer.

'U zult de gek zijn als u het doet,' zei de kleine man, 'ongeacht hoeveel ze u hebben geboden.'

'Niemand heeft me wat dan ook geboden.'

Einde fragment *Zero Cool*